D1125460

Le royaume de Lénacie

Tome 5
Confrontation ultime

De la même auteure

Le royaume de Lénacie

tome 1 : Les épreuves d'Alek
tome 2 : Vague de perturbations
tome 3 : Complots et bravoure
tome 4 : Sacrifice déchirant

Priska Poirier

Le royaume de Lénacie

Tome 5
Confrontation ultime

Éditions de Mortagne

Catalogage avant publication de Bibliothèque et Archives nationales du Québec et Bibliothèque et Archives Canada

Poirier, Priska

Le royaume de Lénacie

Sommaire : t. 5. Confrontation ultime.
Pour les jeunes de 12 ans et plus.

ISBN 978-2-89662-177-4 (v. 5)

I. Titre. II. Titre : Confrontation ultime.

PS8631.O374R69 2009 jC843'.6 C2008-942367-4
PS9631.O374R69 2009

Édition

Les Éditions de Mortagne
Case postale 116
Boucherville (Québec)
J4B 5E6

Tél. : 450 641-2387
Téléc. : 450 655-6092
Courriel : info@editionsdemortagne.com

Illustration p. 179

Dépôt légal

Bibliothèque et Archives Canada
Bibliothèque et Archives nationales du Québec
Bibliothèque Nationale de France
4e trimestre 2012

ISBN : 978-2-89662-177-4
3 4 5 – 12 – 16 15 14

Imprimé au Canada

Nous reconnaissons l'aide financière du gouvernement du Canada par l'entremise du Fonds du livre du Canada (FLC) et celle du gouvernement du Québec par l'entremise de la Société de développement des entreprises culturelles (SODEC) pour nos activités d'édition. Gouvernement du Québec – Programme de crédit d'impôt pour l'édition de livres – Gestion SODEC.

Membre de l'Association nationale des éditeurs de livres (ANEL)

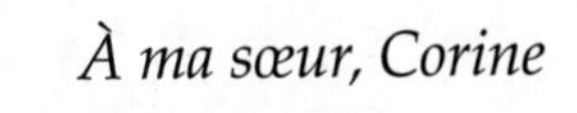
À ma sœur, Corine

Remerciements

À l'heure des remerciements, c'est un sentiment de gratitude mêlé de tristesse qui m'habite. Le cinquième tome... Le dernier tome...

Une incroyable aventure se termine à travers laquelle j'ai cheminé, grandi, enragé et ri. Je me suis sans cesse dépassée afin d'écrire, de réviser et de corriger une parfaite histoire pensée et créée pour rêver et s'évader !

Je désire remercier tous ceux qui ont cru en mon talent et qui ont fait une place de choix à mes romans dans leur univers...

En trois ans et demi, j'ai visité plus de trois cents écoles du Québec et du Canada francophone, rencontrant des élèves dynamiques et des enseignants motivés à faire aimer la lecture et l'écriture. Merci pour votre merveilleux accueil !

Merci Martin. Ton ouverture contribue à me permettre de vivre cette aventure sereinement.

Merci François, Jean, Marie, Gabrielle et Stéphanie pour vos commentaires sur la première version... Vous seuls pouvez prendre toute la mesure de mon travail de révision en lisant ce tome.

Merci Chloé ! Je manque de mots (ce qui est très indiqué pour une auteure !) pour te dire à quel point j'apprécie ton travail.

Merci Marie-Claude Roch pour la superbe image de mon tout petit requin !

Merci à tous ceux qui ont œuvré et qui s'affairent dans l'ombre pour que le royaume de Lénacie voie le jour et prenne son envol au Québec et dans le monde.

Merci à tous mes lecteurs... merci pour vos encouragements et pour vos visites dans les Salons du livre !

Je vous promets une autre extraordinaire histoire... très, très bientôt !!!

Table des matières

Prologue

Après avoir accepté la couronne de Lénacie, Marguerite et Hosh se dévouèrent corps et âme à leur nouveau rôle de souverain. Avec l'aide d'Una et de leurs précieux conseillers – dont Mac, madame de Bourgogne et maître Robin –, ils découvrirent les nombreux rouages de la monarchie et les responsabilités qui découlent de la direction d'un royaume.

Marguerite sut s'entourer de deux adjointes extrêmement efficaces : Leila, l'ancienne secrétaire de M. Brooke, et Céleste, son amie depuis les épreuves d'Alek. Leila avait longtemps travaillé pour le syrmain d'affaires et elle avait aidé les enfants d'Una à préparer leur projet pour le Vodalum lors du troisième été d'épreuves. Dès sa première année de règne, Marguerite proposa à la jeune femme le poste de première sirim, une des fonctions les plus importantes de son entourage. Quant à Céleste, lorsqu'elle eut terminé ses études sur terre et décidé de vivre dans l'océan, Marguerite lui offrit de devenir sa secrétaire royale.

Pour sa part, Hosh n'avait embauché que son meilleur ami, Quillo. Ce choix s'avéra excellent et, contre toute attente, le sirène un peu lunatique remplissait son poste de gardien de l'horaire de façon magistrale. Grâce à ses qualités de comique, Quillo parvenait aussi à dédramatiser plusieurs situations.

Trois ans après le début du règne de ses enfants, Una sentit qu'ils étaient prêts à voler de leurs propres ailes et elle se permit enfin de penser à elle. Elle unit sa destinée à celle de Brooke et le nouveau couple prit quatre longs mois de congé loin de la cité lénacienne. Depuis son mariage, Una était dans une forme splendide et elle rayonnait de bonheur ! Elle avait trouvé la paix auprès du syrmain d'affaires. Brooke avait insisté pour que son épouse s'établisse dans son manoir et la reine mère prenait plaisir à vivre dans cette grande demeure, loin des règles strictes et de l'agitation du palais. Comme tous les souverains l'ayant précédée, Una avait le devoir de se rendre dans les autres cités, situées aux quatre coins des océans du monde, afin de négocier des ententes, de dissiper des malentendus et d'entretenir de bonnes relations entre les peuples.

La même année, le prince Mobile devint roi de Lacatarina, succédant ainsi à son père, décédé des suites d'une longue maladie.

Un an plus tard, après quatre années de règne, Marguerite et Hosh durent faire face à leur premier grand défi en tant que souverains : la gestion d'un conflit diplomatique. En effet, des prospecteurs lacatariniens avaient commencé à exploiter un site d'awata sur le sol lénacien, tout près de la frontière entre les deux territoires. Lorsque Hosh apprit la nouvelle, plusieurs chargements du précieux minerai avaient déjà été livrés à Lacatarina. Il fit expulser les prospecteurs du site et envoya un émissaire à Mobile. Fin diplomate, Hosh permit à la cité du Sud de conserver l'awata, mais il interdit dorénavant l'accès au site. Des gardes y furent postés en permanence. Malgré la générosité du roi de Lénacie, qui aurait pu exiger de récupérer le minerai, la situation avait mis le feu aux poudres. Une rumeur vint envenimer davantage les relations entre les peuples : on racontait que les Lénaciens avaient laissé faire le plus gros du travail de forage par les Lacatariniens pour ensuite prendre possession du site et récolter le fruit de leur labeur.

Depuis, la hargne s'était installée entre les deux peuples. Hosh et Marguerite étaient persuadés que leur malveillante cousine, Jessie, désormais reine de Lacatarina, entretenait avec soin ce sentiment négatif. En vérité, même si plusieurs années s'étaient écoulées depuis le démantèlement de la SPAL et le bannissement de la famille d'Usi, Jessie était toujours habitée par un puissant sentiment de vengeance envers ses cousins.

Au-delà de son bannissement de Lénacie, l'exil sur terre imposé à son père et à son frère jumeau avait anéanti le peu de cœur qui restait à Jessie. Les chantevoix ayant effacé la mémoire d'Usi et de Jack, en plus de leur enlever leur pouvoir de se transformer en sirènes, le retour en mer de ces deux êtres qu'elle affectionnait était à jamais impossible. La jeune femme s'était juré que ses cousins payeraient pour cela !

Peu de temps après le scandale des bâtons d'awata, le mariage de Marguerite et de Damien vint alléger l'atmosphère et distraire la population, qui célébra pendant plus d'une semaine cette union tant attendue.

Le bonheur conjugal de la jeune reine fut cependant assombri lorsque son frère et elle rencontrèrent un nouvel obstacle : le retour des frolacols. Les sirènes mutantes et cannibales avaient attaqué le dôme de protection de Lénacie ainsi que plusieurs équipes de chasseurs et de gardes. Devant l'extrême violence des agressions, Marguerite et Hosh décidèrent d'en finir une fois pour toutes avec ces êtres sadiques et dénaturés. Cinq escadrons des meilleurs gardes du royaume les pourchassèrent et les anéantirent jusqu'au dernier.

N'eût été la tension grandissante avec les Lacatariniens, les souverains de Lénacie auraient pu se féliciter des nombreux progrès accomplis depuis le début de leur règne. Pourtant, à l'aube de leur neuvième année à la tête de Lénacie, Marguerite et Hosh étaient de plus en plus persuadés qu'ils n'échapperaient pas à la guerre promise par Jessie dans une de ses dernières missives...

- 1 -

Poissons-robots

– Emma, quinze ans. Elle est originaire de Drummondville, au Québec, murmurait Céleste à Marguerite en consultant un gros rouleau d'algues. Ses deux parents sont syrmains et ils l'ont élevée eux-mêmes à la surface.

« Jayson, quatorze ans, de Toronto en Ontario. Un parent syrmain resté sur terre, l'autre sirène.

« Finalement, Lydia, quatorze ans, de Springfield au Massachusetts. Ses deux parents sont sirènes et vivent à Lénacie. »

Marguerite nageait sur place au-dessus de son trône en coquillage rose. Très concentrée, elle essayait de mémoriser les informations que lui donnait son amie au sujet des douze nouveaux syrmains qu'elle devait accueillir dans quelques minutes. Âgés de quatorze à dix-sept ans, ils étaient arrivés à Lénacie pour la première fois quelques jours plus tôt. Marguerite se rappelait bien sa propre venue dans la belle cité. Aux côtés de son gardien, Gab, elle avait découvert une ville comme elle n'en avait jamais vu, avec ses maisons en forme d'escargot, ses habitants qui nageaient au-dessus des édifices et son palais, encastré dans le roc, où l'attendaient sa mère et son frère jumeau.

Apprendre qu'on est syrmain est déjà extraordinaire, mais découvrir un monde nouveau, avec son histoire, ses mœurs et ses croyances, est tout simplement fantastique. Et que dire d'apprendre à connaître des membres encore inconnus de notre famille, qui attendaient cette rencontre depuis près de treize ans !

– Crois-tu qu'ils prendront la même décision que nous, Céleste ? s'enquit Marguerite. Dans quelques années, choisiront-ils une vie au fond de l'océan, loin du soleil et des humains ?

– Souhaitons seulement qu'ils décideront avec leur cœur... comme nous l'avons fait !

Marguerite hocha la tête en signe d'assentiment. Bien sûr, elle avait choisi avec son cœur, mais avec sa tête aussi... parce que tout un peuple comptait sur elle pour vivre en paix et en harmonie. Jamais elle n'aurait pu dormir tranquille après avoir fait le choix très égoïste d'aller vivre à Lacatarina avec Mobile.

« Oh, l'adolescente que j'étais en a rêvé longtemps... », se rappela la jeune reine avec un sourire nostalgique.

L'un comme l'autre, les deux amoureux de l'époque avaient décidé de sacrifier leur amour pour leurs royaumes respectifs. La vie que Marguerite avait choisie de plein gré n'était cependant pas de tout repos. De plus, la culpabilité d'avoir abandonné sa famille adoptive au profit des Lénaciens la tenaillait encore souvent.

« Mais si c'était à recommencer, je prendrais exactement les mêmes décisions », se dit la jeune femme.

– Renomme-moi les syrmains en ordre de présentation, s'il te plaît, demanda-t-elle à sa secrétaire.

La reine tenait à accueillir les nouveaux venus par leur prénom, afin qu'ils sentent immédiatement qu'ils avaient leur place dans ce royaume et qu'ils y étaient attendus.

Céleste répétait le dernier prénom lorsque les portes d'algues de la grande salle s'ouvrirent. Le silence se fit parmi la foule présente et la cérémonie commença. Le protocole était rigoureux et officiel. Il était essentiel que les jeunes syrmains comprennent l'importance de la monarchie à Lénacie et qu'ils la respectent. Les Lénaciens étaient persuadés que plus la cérémonie d'accueil était grandiose, plus la marque qu'elle laisserait serait indélébile dans la mémoire des nouveaux arrivants.

Momentanément distraite par ses pensées, Marguerite ne remarqua pas le gardien qui accompagnait le cinquième syrmain à lui être présenté. Lorsqu'il la salua, elle ne put s'empêcher de le fixer pendant plusieurs secondes, abasourdie. Était-ce vraiment Martin Poudrier ? L'animateur fétiche de Cynthia, sa mère adoptive ? Elle avait entendu sa voix grave et chaleureuse tous les matins de son enfance pendant le petit déjeuner, car Cynthia ne manquait jamais son émission d'informations. Elle disait que le sourire, l'humour et les commentaires de Poudrier lui permettaient de commencer sa journée du bon pied.

Martin Poudrier était donc un gardien lénacien ? Wow ! Elle n'en croyait pas ses yeux ! Marguerite eut une pensée pour sa mère adoptive, qui aurait été si heureuse de rencontrer l'animateur.

Lorsque la présentation des nouveaux citoyens fut terminée et que les règles essentielles de confidentialité et de sécurité furent énumérées, Marguerite annonça l'ouverture du banquet prévu pour l'occasion. Elle s'amusa beaucoup devant l'air à la fois étonné et déconfit des recrues devant le contenu de certaines carapaces de nourriture.

« Pour l'instant, ils sont plus terriens que sirènes ! » sourit-elle au souvenir de ses premières semaines dans l'océan.

* *
*

Le lendemain, au premier chant du matin, la petite sardine envoyée par Leila afin de réveiller la reine lui chatouilla le lobe de l'oreille. Sans ouvrir les yeux, Marguerite étendit son bras dans l'assur et s'aperçut que son amoureux était déjà levé. Elle n'en fut pas surprise : son mari adorait son travail de menuisier et il partait souvent travailler très tôt.

Cela avait fait quatre ans, la veille, qu'ils étaient mariés. Pour souligner cet anniversaire, Damien lui avait offert un cadeau inestimable : des lettres plastifiées provenant de ses parents adoptifs et de ses sœurs. Il était allé les chercher lui-même au bateau du capitaine Pascal. Depuis la mort de Cap'tain Jeff, l'ex-aspirant avait pris sa relève sur le voilier.

Marguerite soupira de tristesse en pensant au vieux loup de mer. Il lui manquait tellement ! Dès qu'elle avait posé le pied sur son voilier, lors de son premier voyage vers Lénacie, Cap'tain Jeff lui avait manifesté une affection sincère, presque paternelle. Il s'était spontanément taillé une place dans son cœur.

La veille de son mariage avec Damien, Cap'tain Jeff lui avait fait la magnifique surprise de se présenter au palais, alors qu'il n'avait pas quitté son bateau depuis douze années.

– Je n'aurais pas manqué ça pour tout l'or des océans ! lui avait-il chuchoté à l'oreille en la serrant dans ses bras.

C'était leur dernière rencontre. Un mois plus tard, des frolacols attaquaient son voilier et, en voulant sauver la vie de trois de ses marins, le vieux syrmain avait perdu la sienne.

La perte du capitaine avait été la goutte d'eau de trop dans l'océan et c'est ce qui avait convaincu les souverains de pourchasser sans relâche ces êtres mutants pour les éradiquer à jamais.

En repensant à ces longues semaines de bataille, Marguerite mangea seule son déjeuner, composé d'œufs d'esturgeon et de pâté de clipsa. Ensuite, elle se rendit dans la salle aux dauphins où Céleste l'avait convoquée par poisson-messager pour son premier rendez-vous du jour.

La porte d'algues à peine franchie, elle tomba nez à nez avec un sirène, sa femme et leurs deux filles. Ils saluèrent la reine puis se présentèrent : ils venaient de Lacatarina et souhaitaient emménager à Lénacie. C'était la troisième demande de ce genre que Marguerite recevait en un mois.

Depuis un an, le scénario se répétait : des habitants de Lacatarina natifs de Lénacie revenaient habiter leur cité d'origine, car la vie dans leur cité d'adoption n'était plus possible. Le mauvais sort semblait s'acharner sur eux... Ils perdaient leur emploi, leur maison, leurs biens... Toutefois, à force de parler avec les familles, Marguerite avait conclu que le mauvais sort n'avait rien à voir dans tout ça et que la population de Lacatarina faisait preuve de racisme envers ces gens.

– Lequel de vous deux est originaire d'ici ? s'informa la reine auprès du prénommé Corow et de sa femme.

– Aucun, répondit le sirène en soupirant de découragement. Mais ma mère est née à Lénacie.

« Oh ! C'est donc de pire en pire ! pensa Marguerite. Ils remontent maintenant jusqu'aux ancêtres ! »

– Avez-vous perdu votre emploi ? s'enquit-elle.

– Oui... si on peut dire ça. Au cours des derniers mois, sans que j'en comprenne la raison, mes clients se sont mis à déserter ma boutique d'assurs les uns après les autres. Le quotidien devenait invivable tant pour nous que pour nos filles...

– Nos voisins ne nous parlaient plus depuis deux mois, renchérit la femme en se tordant les mains d'anxiété. De plus, nous commencions à avoir de la difficulté à nous nourrir, car certains commerçants refusaient de nous vendre des aliments et nous n'avions pas la possibilité de sortir du dôme de protection pour aller pêcher. Seuls les Lacatariniens possédant un coquillage spécial le pouvaient.

– Un coquillage ? répéta la reine, surprise d'apprendre ce nouvel élément.

– Oui. On le remet à chaque résidant qui peut prouver que tous ses ancêtres sont nés à Lacatarina.

– Ce qui n'était pas votre cas..., soupira Marguerite.

– À l'école, nous étions pointées du doigt et rejetées, ajouta la plus jeune des sirènes, l'air abattu.

– Les parents de sa meilleure amie lui ont même interdit de parler à ma fille, confia tristement la mère. Mais ce qui nous a vraiment décidés à partir, c'est lorsque nos filles sont revenues de l'école les cheveux coupés et la nageoire dorsale recouverte d'une pâte de deuil. Mon époux et moi avons vraiment eu peur pour leur vie !

– Comme nous nous sentions surveillés, nous avons attendu la nuit pour fuir, compléta Corow. Nous avons mis deux mois et demi pour parcourir les huit mille kilomètres séparant les deux cités. Heureusement que nous avons eu l'aide d'espadons – mon allié naturel –, pour avancer plus vite. Sans cela, j'ose à peine imaginer ce qu'il serait advenu de nous...

Marguerite leur assura son aide et leur offrit un logement temporaire dans la cité. Elle chargea aussi Céleste de trouver un travail aux adultes en fonction de leurs compétences.

« Que se passe-t-il donc à Lacatarina ? Comment Mobile peut-il laisser de tels actes se produire ? Et quelle est la part de responsabilité de Jessie, là-dedans ? »

Les questions se bousculaient sans que l'ombre d'une réponse se profile à l'horizon.

* *
*

Marguerite se dirigea vers le deuxième rendez-vous à son agenda : le nouveau centre de recherches de Dave. Elle sortit du château par une des grandes portes principales. Elle nagea ensuite plus d'un demi-chant vers la barrière nord de la cité, en compagnie de son dauphin Flora. Lorsque Damien lui avait offert ce delphineau en cadeau, Marguerite était persuadée que jamais elle ne pourrait l'aimer autant qu'Ange.

– Finalement, dit-elle à Flora dans le langage des dauphins, je dois admettre que tu as su gagner mon cœur !

Flora était douce, enjouée et curieuse. Elle apprenait vite et, tout comme Ange, vouait à Marguerite un amour sans limites.

En nageant, la reine mit de côté ses soucis pour se consacrer à l'observation de sa ville.

Elle nota que l'eau était claire et les bâtiments bien entretenus. Partout, des sirènes circulaient à la nage ou en char tiré par des poissons ou des mammifères. Ils se rendaient au travail, au marché et dans les différents commerces de la cité. De l'endroit où elle se trouvait, Marguerite pouvait voir des siréneaux jouer innocemment avec des coquillages et des étoiles de mer, près du sol marin. Comme toujours, un sentiment de paix l'envahit à la vue de cet univers et elle sourit de bonheur.

C'est ainsi que la trouva son mari.

– Bonjour, mon Awata ! Tu sembles bien détendue aujourd'hui.

Marguerite adorait que Damien emploie ce petit mot doux. Lorsqu'il avait commencé à la courtiser, le syrmain lui avait confié que son prénom « Marguerite » tirait son origine du mot « perle ».

« Je ne t'appellerai pas ainsi, cependant, avait-il dit. Parce que, pour moi, tu es bien plus précieuse qu'une perle. Tu seras mon Awata ! »

La reine embrassa amoureusement son mari et lui demanda :

– Tu n'es pas au travail ? Est-ce que tu m'accompagnes à la démonstration de Dave ?

– Je ne manquerais ça pour rien au monde : il m'en parle depuis des mois !

Dave, le jumeau d'Occare, avait terminé ses études sur terre depuis trois ans. Aussitôt son double diplôme en ingénierie mécanique et en informatique obtenu, il s'était empressé de venir s'installer à Lénacie. En peu de temps, il s'était taillé une place de choix au centre de la sécurité. Dave proposait sans cesse de nouvelles idées réfléchies, novatrices et originales pour améliorer la vie dans la cité.

Son nouveau projet lui avait été inspiré par les mésaventures de Marguerite et de Hosh pendant leur dernier été de course à la couronne. Lorsque les jumeaux, soumis à l'épreuve mentale dirigée par les chantevoix, avaient tenté de communiquer avec la surface pour obtenir l'aide des syrmains, le message ne s'était jamais rendu.

Durant cette même épreuve, ils avaient dû faire face à une vague rouge de bactéries mortelles. Dave s'était donc mis à chercher un moyen de voir venir n'importe quel danger et d'être en lien direct avec la surface en tout temps. Le jeune inventeur souhaitait surtout que ces communications soient faites dans la plus grande confidentialité, pour ne pas alarmer les Lénaciens à la moindre occasion. C'est ainsi qu'il avait eu l'idée de créer des guetteurs bien particuliers...

– J'ai tellement hâte de voir le résultat de ses travaux ! lança la reine à son époux en arrivant devant l'édifice qui abritait le laboratoire de son ami.

Plusieurs invités étaient déjà sur place et attendaient à l'extérieur de la bâtisse. Marguerite saluait les gens présents lorsqu'un thon d'un demi-mètre se dirigea droit vers elle. Il s'approcha et tourna autour de la reine. On aurait dit un gros chien qui la reniflait.

Le thon recula ensuite et se mit à faire des vrilles sur lui-même, à la verticale.

– Mais qu'est-ce que ça signifie ? lança Damien, surpris par le comportement inhabituel du poisson.

Au même moment, une trentaine de thons se joignirent au premier et encerclèrent à leur tour la reine, l'isolant de Damien et de la foule. Que se passait-il ? Marguerite n'aimait pas se sentir ainsi prisonnière. Son époux n'était pas rassuré non plus, car elle l'entendit l'appeler à quelques reprises, avec de l'inquiétude dans la voix.

– C'est forcément une idée loufoque de Dave, murmura-t-elle afin de se forcer à garder son calme.

Pourtant, les secondes passaient et les poissons maintenaient leur position. Marguerite remarqua soudain qu'ils se déplaçaient subtilement en l'entraînant avec eux. Elle s'inquiéta davantage et essaya de pousser les deux thons qui nageaient au-dessus de sa tête pour se frayer un chemin. Rien à faire. Plus elle insistait, plus le banc resserrait les rangs.

– Damien ! cria-t-elle, paniquée. Sors-moi d'ici !

D'un coup, les thons se déplacèrent à nouveau pour former une haie d'honneur devant la reine. Dave apparut à l'autre bout, un large sourire aux lèvres.

– Comment trouvez-vous mes petites merveilles ? leur lança l'ingénieur en guise de salutation.

Marguerite eut un rire forcé. Elle venait d'avoir toute une frousse et les trois tridents qui luisaient d'une lueur bleutée dans les mains de ses gardes indiquaient qu'elle n'était pas la seule. Dave posa la main sur un des thons qui nageait sur place à ses côtés.

– Leur peau et leurs écailles sont faites de silicone, ce qui leur donne une apparence réelle et ne permet pas de différencier les robots des vrais thons, leur apprit Dave, visiblement très fier de son invention.

S'inspirant de recherches terriennes et du baleinobus conçu avec Occare, il avait eu l'idée de construire des poissons-robots qui reproduisaient à la perfection la nage des thons.

– Wow ! C'est remarquable ! s'exclama Damien. Je n'aurais jamais cru cela possible ! Ils semblent si réels...

– Quelles sont leurs fonctions ? s'informa Marguerite en touchant un des poissons du bout des doigts pour en sentir la texture.

– Ils sont munis de capteurs qui enregistrent la température de l'eau ainsi que sa composition, ce qui permet de prévenir la plupart des catastrophes écologiques. Ils ont aussi un sonar qui repère le métal. Aussitôt qu'ils détectent une anomalie, les poissons envoient un signal radio en code morse à nos voiliers à la surface ainsi qu'à un poste situé dans le château. Pour la première fois dans toute l'histoire de Lénacie, nous pourrons être prévenus de l'arrivée d'un danger en mer comme sur terre, et ce, sur une distance de près de dix kilomètres.

Cette perspective était fantastique.

– Mais qu'arrivera-t-il si les poissons-robots sont pêchés ? s'inquiéta Marguerite.

– Je les ai munis de petites scies rétractables de chaque côté de leur corps qui leur permettront de couper les mailles des filets. Et maintenant, venez voir comment j'alimente leurs batteries...

Dave fit pénétrer Marguerite, Damien et ses autres invités à l'intérieur de l'édifice. Il les entraîna devant une grande turbine qui tournait sous une cloche de verre. Cette cloche était reliée à deux tuyaux.

– J'utilise la géothermie comme source d'énergie, déclara Dave en grande pompe. À plus de mille cinq cents mètres sous le sol marin, vers le centre de la Terre, se trouve un espace creux de quelques dizaines de mètres carrés, à l'origine rempli d'air. La température y est supérieure à 150 °C. À partir du quartier sud de Lénacie, j'ai foré un trou dans le sol et j'ai fait descendre un tuyau jusqu'à cet espace. Un propulseur y envoie de l'eau, qui est chauffée et se transforme en vapeur. Celle-ci remonte naturellement dans le seul conduit disponible, expliqua-t-il en pointant un des deux tuyaux.

La force de la vapeur sert à faire tourner la turbine, qui produit de l'électricité et recharge les batteries des robots. La vapeur est ensuite dirigée dans l'autre tuyau pour y être refroidie et redevenir de l'eau, qui est relâchée dans la cité.

– De l'électricité sous l'eau, c'est impossible ! argumenta un vieux syrmain.

– Plus maintenant ! Vous en avez la preuve sous les yeux ! Bien sûr, mon invention ne produit qu'une toute petite quantité d'électricité, mais c'est suffisant pour les besoins des poissons-robots.

– Seulement une petite quantité ? Moi qui rêvais d'avoir quelques ampoules électriques dans mes appartements, le taquina Marguerite.

– Et moi, un téléviseur ! lança Damien en riant.

Au milieu des félicitations qui fusèrent de toutes parts à l'endroit de Dave, Marguerite demeurait songeuse. Cette formidable avancée technologique ouvrait la voie à tant de possibilités ! Dans quelques années, verrait-on de la lumière en permanence dans la cité ? De l'eau chauffée dans les maisons ? Des ordinateurs reliés à la terre ?

En retard pour la présentation, Hosh arriva à ce moment-là. Sous le commandement de Dave, les poissons-robots entourèrent à son tour le roi.

– Hé ! Quelqu'un peut me dire ce qui se passe ? s'exclama Hosh.

– Et si on laissait les thons lui faire faire un petit tour de la cité, pour lui apprendre à arriver à l'heure à mes présentations ? suggéra Dave, d'un ton taquin.

Jessie s'approcha de son mari, étendu dans un assur. Il avait beaucoup maigri au cours des derniers mois. Sentant une présence, Mobile ouvrit lentement les yeux.

– Comment se déroule le séjour de la reine mère Una dans notre royaume ? questionna-t-il d'une voix faible.

– Très bien, mon tendre époux. Ne te fais pas de soucis. Si tu n'y vois pas d'inconvénient, je pensais même demander à quelques-uns de nos conseillers, dont ton ami Diou, d'accompagner ma tante lors de son voyage de retour. Simple précaution. Par le fait même, ils pourraient en profiter pour faire signer aux souverains de Lénacie quelques documents visant à faciliter le commerce...

– Tu penses vraiment à tout. Que ferais-je sans toi ?

– Chuuuut ! Tu dois reprendre des forces, maintenant. Repose-toi !

Jessie regarda Mobile avec des yeux remplis d'amour jusqu'à ce qu'il se rendorme. Dès qu'elle fut certaine que son époux dormait à poings fermés, le masque de la reine de Lacatarina tomba et son expression redevint dure et froide.

« Comment se fait-il qu'il soit encore en vie ? Sa mort aurait dû survenir il y a des jours ! » pensa-t-elle.

Puis ses pensées revinrent vers Una et un sourire méchant se dessina sur le visage de la reine de Lacatarina. Oui, elle avait l'intention d'envoyer une délégation à Lénacie, mais ce serait d'abord et avant tout à titre d'espions. Il ne lui manquait plus que quelques informations et le plan qu'elle préparait depuis six ans pourrait enfin être mis à exécution !

Une seule certitude l'habitait : elle serait beaucoup plus prudente que sa mère et, bientôt, elle dirigerait non pas un, mais deux royaumes...

- 2 -

Délégation lacatarinienne

Dans une des salles privées de son Eska préféré, Hosh attendait son meilleur ami Quillo. Depuis qu'il était roi, le sirène avait pris l'habitude de venir au restaurant environ toutes les deux semaines, en compagnie de son gardien d'horaire. Chaque fois, Hosh exigeait qu'on ne les dérange sous aucun prétexte pendant leur repas.

Au début, cette habitude avait semblé étrange aux yeux des citoyens de Lénacie. Après tout, le palais employait un grand nombre d'excellents cuisiniers ! Puis certains sirènes avaient émis l'hypothèse que le jeune monarque prenait tout bonnement une journée de congé. Pour quelques chants, il délaissait son rôle de roi, partait travailler au centre aquarinaire et s'accordait un bon repas en compagnie d'amis.

Les Lénaciens approuvaient désormais cette sortie ponctuelle, car, en plus de favoriser la bonne humeur de leur souverain, elle le rapprochait d'eux.

– Enfin un peu de tranquillité, soupira Quillo en entrant ce jour-là. Je t'assure que mon patron n'est pas de tout repos... Fais ceci ! Fais cela ! Apporte-moi ça ! Je vais enfin pouvoir profiter d'un moment de détente en compagnie de mon meilleur ami !

Hosh éclata de rire pendant que son secrétaire lui tendait un grand sac en cuir de baleine.

– Merci, répondit-il en plongeant la main dans le fourre-tout. C'est bien essayé, mais ton meilleur ami va, comme d'habitude, te fausser compagnie. En contrepartie, il aura une sérieuse discussion avec ton patron en ce qui concerne la façon dont il traite ses employés ! blagua-t-il.

Le roi sortit du sac une perruque de cheveux blonds et de la pâte de maquillage pour écailles. Il en enduisit aussitôt sa queue de sirène.

– Je t'ai commandé tes mets préférés et les derniers numéros du magazine *L'Anguille*, précisa Hosh en ajustant la perruque blonde sur sa longue chevelure noire. Je reviens avant le troisième chant du soir et, demain, tu seras en congé toute la journée, c'est promis !

– Tu dis toujours ça ! rétorqua Quillo en riant de bon cœur. Mais, chaque fois, une urgence « interocéanique » m'oblige à me lever.

– Je te revaudrai ça !

Pendant que Quillo s'installait confortablement dans une chaise-assur avec un magazine, Hosh poussa une seule algue de la porte afin de s'assurer que la voie était libre. Personne en vue. Complètement métamorphosé, il se glissa dans le couloir et nagea rapidement jusqu'au couloir principal qui menait à la sortie. Là, il reprit une nage naturelle et, la tête basse, passa incognito à côté d'un groupe de sirènes qui venait dans sa direction.

À l'extérieur de l'Eska, il emprunta le char de Quillo et donna l'ordre au thon qui y était harnaché de le conduire dans le quartier est de la cité. Arrivé devant une maison en forme de coquille d'escargot, le roi fit entrer le thon dans l'enclos à poissons et frappa un petit coup sur la vitre du poisson-sonnette. Celui-ci disparut en quelques coups de nageoire.

Hosh était nerveux, comme à chacun de ses rendez-vous clandestins avec Pascale. Après tout, l'ex-aspirante avait été bannie du palais lors du troisième été d'épreuves de la course à la couronne et leur relation ferait sûrement des vagues si elle était dévoilée au grand jour.

Reconnus coupables d'avoir attenté à la vie des aspirants souverains, Pascale et son jumeau avaient en réalité sacrifié leur honneur pour permettre à Hosh et à Marguerite de poursuivre la compétition. Leur geste d'une grande générosité avait eu des répercussions dramatiques sur leur vie. Pascal avait été banni non seulement du palais, mais du royaume entier.

Aujourd'hui, plus de neuf ans plus tard, Pascale avait su regagner le cœur de plusieurs citoyens en s'occupant de façon remarquable de l'orphelinat, mais malgré tous ses efforts, elle n'était pas encore admise dans les hautes sphères du royaume. Certains Lénaciens pardonnaient moins facilement que d'autres...

Amoureux depuis l'adolescence, Hosh et Pascale devaient donc faire preuve d'imagination pour se rencontrer et passer quelques heures ensemble en secret.

Le poisson-sonnette revint et la porte d'algues de la maison s'ouvrit.

– Bonsoir, bel inconnu, l'accueillit la jeune femme avec un sourire capable de faire fondre même le plus dur des cœurs. Que puis-je pour vous ?

Hosh décida de jouer le jeu et il prit un air pitoyable :

– Y aurait-il une carapace de ravitaillement supplémentaire, sur votre table, pour un pauvre sirène affamé ?

Pascale approuva de la tête et lui fit signe d'entrer. Main dans la main, ils se dirigèrent vers la salle à manger, où un délicieux repas attendait Hosh, comme à chacune de ses visites.

*   *
*

Trois chants plus tard, Hosh entra dans le petit salon personnel de Marguerite, le même qui avait appartenu à leur mère auparavant. Le jeune sirène affichait un air détendu et heureux. Il se dirigea vers une des chaises-assurs et s'y laissa tomber nonchalamment.

– Comment va-t-elle ? s'informa d'emblée Marguerite en venant prendre place devant son frère.

D'un commun accord, les jumeaux ne nommaient jamais Pascale par son prénom à l'intérieur des murs du château. La relation entre Hosh et l'ex-aspirante était précieuse, et ni Marguerite ni lui ne voulaient la voir détruite par quelques sirènes bien-pensantes qui auraient trop à cœur de faire appliquer la loi à la lettre.

Hosh confia à sa sœur qu'il avait passé un long moment à discuter avec Pascale du nouveau pavillon qu'elle voulait faire bâtir à l'orphelinat. Puis l'expression du roi devint plus sérieuse.

– Je t'avoue que je n'ai pas pu m'empêcher de lui parler de la guerre qui semble sur le point d'éclater. Elle est aussi d'avis qu'avec Jessie, il faut toujours prévoir le pire.

Marguerite s'accouda sur sa magnifique queue mauve, l'air soucieux.

– Notre amie est toujours de bon conseil, approuva-t-elle en fronçant les sourcils. Ce qui m'amène à me faire encore plus de soucis pour Mère. Quand doit-elle revenir de Lacatarina ?

– Dans une ou deux semaines, je crois, répondit le roi. Le ton de sa dernière missive était très neutre et, contrairement à son habitude, elle ne donnait aucune information sur ce qu'elle a pu constater là-bas. J'en déduis qu'elle craint que son courrier soit intercepté...

Grâce à la nature calme d'Una et à ses qualités de négociatrice, le travail d'ambassadrice était parfait pour elle et elle y excellait. Malgré cela, avant son départ pour Lacatarina, elle avait confié à ses enfants qu'elle appréhendait l'accueil qu'on lui réserverait. Après tout, elle était responsable de l'exil d'Alicia et de Jessie. Cette visite avait été planifiée des mois auparavant dans le but de créer de nouveaux liens d'amitié avec l'entourage et les conseillers du roi lacatarinien. Ainsi, Lénacie s'assurait d'avoir des sirènes plus critiques devant les faussetés véhiculées par Jessie à l'endroit de sa cité natale. Bien entendu, les dernières nouvelles que Marguerite avait recueillies grâce aux réfugiés ne laissaient pas beaucoup d'espoir à Hosh sur le fait que cette stratégie serait d'une quelconque efficacité.

– As-tu réussi à recruter les deux cents sirènes supplémentaires dont tu m'avais parlé pour l'armée ? s'enquit Marguerite.

– Oui. J'ai aussi chargé le chef des gardes de mettre sur pied un programme d'entraînement intensif pour tous les citoyens en âge de combattre qui se porteront volontaires.

– De mon côté, j'ai demandé à madame de Bourgogne de s'occuper du recensement des alliés naturels de tous les sirènes de Lénacie. Ça avance bien...

* *
*

Une semaine plus tard, dans son bureau, Hosh déroulait son sixième rouleau d'algues concernant les derniers développements dans un dossier du service des transports. Il en commençait la lecture lorsque le poisson-messager de la reine se mit à tournoyer au-dessus de lui. Il tendit la main au-dessus de sa tête et l'attrapa. Marguerite et lui utilisaient toujours la même espèce de poissons pour l'envoi de leurs messages et personne n'était autorisé à le faire dans tout le royaume. Ce système était très pratique, car on pouvait aisément reconnaître les missives des souverains et leur donner priorité.

Sa jumelle le convoquait à une rencontre dans la bibliothèque du troisième étage. Le roi aurait dû s'y attendre. Une réunion du grand conseil était prévue le lendemain et les souverains avaient pris l'habitude de se rencontrer avant, afin de discuter en privé de certains sujets épineux mais, surtout, afin de se mettre d'accord. De cette façon, ils présentaient à leurs conseillers l'image de deux souverains unis, qui s'appuient mutuellement dans leurs décisions.

Hosh s'empressa donc de rejoindre sa sœur.

Peu de temps après le début de leur rencontre, Quillo entra lui aussi dans la bibliothèque.

– On a repéré le correntego lénacien à une demi-journée de nage de la cité, annonça-t-il d'emblée. La reine mère Una devrait donc arriver ici dans deux chants. Elle est accompagnée d'une délégation lacatarinienne...

– Une délégation lacatarinienne ?! répéta Marguerite, surprise.

– Il faut envoyer des chars pour les escorter ! réagit promptement Hosh. Si on ne les accueille pas dignement et en grande pompe, qui sait ce qu'ils vont ensuite aller raconter ! Les relations sont déjà assez tendues comme ça ! Fais le nécessaire, Quillo, je te prie.

– Pour ma part, enchaîna la reine, je demanderai à Céleste d'avertir les cuisiniers et les musiciens que nous aurons des invités de marque, ce soir. Voici une chance inespérée d'améliorer nos relations avec nos voisins... Servons-nous-en !

* *
*

Un véritable branle-bas de combat s'empara du palais. On nettoya la grande salle, on y ajouta des poissons-lumière et quelques anémones en pots, puis on laissa circuler un courant d'eau chaude pour augmenter la température de l'eau de quelques degrés. Les cuisiniers apprêtèrent des mets spéciaux et succulents, comme des tentacules de pieuvres farcis et des pâtés de clipsa aux algues bleues.

Quelques minutes avant l'arrivée de la délégation, Hosh flottait nerveusement au-dessus du grand coquillage rose qui lui servait de trône. Il était à la fois impatient et inquiet. Quelles nouvelles leur mère rapportait-elle de Lacatarina ? Pourquoi arrivait-elle escortée d'une délégation ? Et, surtout, pour quelle raison ne les avait-elle pas prévenus de cette visite-surprise ?

* *
*

Lorsque les sept représentants lacatariniens entrèrent en procession officielle dans la grande salle, Hosh reconnut aussitôt Diou, rencontré plusieurs années auparavant lors de leur séjour à Lacatarina. À l'époque, l'adolescent des mers du Sud les avait soutenus, sa jumelle et lui, lorsqu'ils avaient traversé sans permission le mur de protection de la cité pour sauver Ange. Diou avait fait preuve de beaucoup de courage, d'intégrité et de franchise.

Hosh avait très hâte de s'entretenir avec lui. Peut-être pourrait-il éclaircir certains points concernant les agissements étranges des Lacatariniens depuis quelque temps. En observant les autres représentants, le roi vit que Coutoro se tenait parmi eux.

« Que fait-il ici, celui-là ? » se demanda-t-il.

L'ancien évaluateur aux traits sévères et au regard hautain était parti avec la famille d'Usi, huit ans plus tôt. Hosh ne l'avait pas revu et s'en portait fort bien. Il n'avait aucune confiance en Coutoro, qui avait été un membre influent de la SPAL et qui avait manigancé avec Alicia pour que les enfants d'Una échouent à leurs épreuves dès le premier été de la course à la couronne.

« Il faudra que j'ordonne qu'il soit surveillé de très près », pensa Hosh.

Le roi et la reine saluèrent les délégués au fur et à mesure que leur mère faisait les présentations. À leur plus grande surprise, aucun Lacatarinien ne leur rendit la pareille. Hosh fulminait intérieurement devant ce manque flagrant de politesse, mais il conserva son sang-froid. Comme le voulait la coutume, il demanda des nouvelles de Lacatarina :

– J'espère que les inhabituels courants froids qui ont traversé votre région depuis le début de l'année n'ont pas nui à vos cultures.

Pour seule réponse, le roi eut droit à un long silence. Il poursuivit, malgré le malaise qui gagnait la plupart des Lénaciens présents.

– Hum... Et comment se portent vos monarques ? Sont-ils satisfaits de l'avancement des travaux pour la construction de leur nouveau centre de soins dont me parlait la reine mère Una, dans un de ses rouleaux d'algues ?

– Le roi me pardonnera de ne pas vouloir perdre de temps en échanges de civilités futiles, répondit Coutoro avec son air le plus méprisant. Sachez qu'il n'est pas prévu que notre délégation s'éternise à Lénacie. Je me permets donc de vous demander de convoquer immédiatement votre conseil pour une réunion.

Un murmure de désapprobation parcourut la foule. L'insulte était grande et tous appréhendaient la réaction du roi. Hosh resta muet de stupeur pendant quelques secondes. Il jeta un coup d'œil à sa sœur, qui l'encouragea mentalement à garder son calme.

– Étant donné votre empressement, je vous promets que la réunion demandée aura lieu dès le deuxième chant du matin, demain. Pour l'instant, compte tenu du long voyage que vous venez d'effectuer, mon assistant vous conduira à vos appartements pour vous permettre de prendre un peu de repos.

Marguerite avança ensuite d'un coup de queue et ouvrit les bras en signe d'invitation.

– Après vous être reposés, ajouta-t-elle avec son sourire le plus chaleureux, vous êtes cordialement invités au banquet de bienvenue que nous avons fait préparer en votre honneur.

Un autre lourd silence accueillit les paroles de la souveraine.

« Beau souper en perspective... », pensa Hosh en soupirant.

* *
*

Una serra à tour de rôle ses enfants dans ses bras.

– Comment s'est passé votre voyage, Mère ? s'informa Hosh.

– Bien, mais j'ai peur que ma visite n'ait pas donné les résultats escomptés... Jessie m'a reçue froidement pour ensuite me laisser entre les mains de ses conseillers pour toute la durée de mon séjour. Je n'ai pas vu Mobile, qui souffrait semblait-il d'un vilain fralgy.

– Un simple rhume l'a empêché de vous souhaiter la bienvenue ? s'étonna Marguerite.

– Ce n'est pas si étonnant, dit Hosh. Après tout, il s'agit d'une maladie très contagieuse. Avez-vous malgré tout réussi à signer l'entente concernant les terres de la région Logi ?

– Non, mon fils. Il faudra que ta sœur et toi négociiez cela avec la délégation qui m'accompagne.

* *
*

La célèbre chanteuse Luchina entamait son quatrième chant et Marguerite, au bras de Damien, tentait de changer les idées des invités lénaciens présents au banquet. Hosh était de plus en plus nerveux.

« Mais que fait Quillo ? » se demanda-t-il pour la centième fois.

Voilà bien un demi-chant que Hosh l'avait envoyé quérir leurs invités lacatariniens. Ceux-ci ne s'étaient pas présentés à l'heure convenue. Pour l'instant, tous agissaient comme si ce retard était normal.

Hosh vit enfin son ami revenir. La déception se peignit sur le visage du roi lorsqu'il remarqua qu'il était seul.

– Ils ne viendront pas, annonça Quillo.

– Pardon ? s'exclama Hosh, offusqué. Et pour quelle raison ?

– Ils ne m'ont pas donné d'excuse... J'ai fait le tour des sept représentants et ils ont tous décliné votre invitation. Pas toujours poliment, en plus ! Si tu veux mon opinion, il faudrait mettre fin à cette visite le plus tôt possible, car il n'en ressortira rien de bon.

Hosh était du même avis que son fidèle bras droit. Pour sauver les apparences, il déclara à ses convives lénaciens :

– Je viens d'apprendre que le voyage depuis Lacatarina a beaucoup fatigué nos invités et c'est donc sans leur présence que je vous encourage à entamer ce magnifique banquet !

Les carapaces de nourriture furent rapidement servies, mais personne n'était dupe : Una, qui avait pourtant fait la même route que les Lacatariniens, dansait avec son époux et ne montrait aucun signe de fatigue...

Au bout d'un demi-chant, les murmures de la foule se muèrent en brouhaha, signe que le banquet était une réussite malgré tout.

* *
*

Alors que la soirée tirait à sa fin, Hosh reçut un message télépathique de sa jumelle, qui se trouvait à l'autre bout de la grande salle.

« Nous avons un problème. »

L'attention du roi fut détournée par le murmure d'indignation qui traversait la pièce. Apparemment, les invités avaient appris la nouvelle avant lui...

« Les Lacatariniens se sont rassemblés dans la salle aux écrevisses pour faire la fête de leur côté, lui annonça Marguerite. Coutoro a commandé de la nourriture directement à la cuisine du palais ainsi que de la sève de plioré fermentée. »

* *
*

Le lendemain matin, Hosh se leva en décidant d'oublier le comportement ignoble de la délégation et d'entamer sa journée avec bonne humeur. Son rôle de souverain devait primer avant tout. Son ressentiment personnel n'aiderait pas les Lénaciens à vivre en paix avec leurs voisins du Sud. Optimiste quant à ses capacités de négociateur, il se rendit donc à la réunion exigée la veille par Coutoro.

Deux chants plus tard, il dut se rendre à l'évidence : les représentants lacatariniens n'avaient aucun désir de négocier. Peu importe ce que Marguerite ou son frère proposait pour trouver une entente concernant les points de désaccord entre les deux royaumes, soit ils le rejetaient du revers de la main, soit ils rétorquaient en demandant dix fois plus.

« C'est ridicule ! » ruminait Hosh.

Découragé, il ajourna la rencontre. Dès que les sept représentants furent partis, il essaya une autre tactique. Le roi rédigea un message sur un rouleau d'algues à l'intention de Diou afin de s'entretenir seul à seul avec lui. Hosh avait appris que le sirène était le bras droit de Mobile. Cela expliquait peut-être pourquoi il s'était montré froid et distant depuis son arrivée. Le souverain espérait réussir à renouer des liens d'amitié avec lui.

Un demi-chant plus tard, le Lacatarinien se présenta devant les appartements privés du roi.

– On nous a avertis que vous tenteriez de nous rencontrer individuellement pour mieux nous manipuler, annonça d'entrée de jeu Diou. Je peux vous assurer que vous perdez votre temps avec moi !

La remarque eut l'effet d'un courant froid sur Hosh.

– Je constate que les années t'ont beaucoup changé, rétorqua le roi avec de la déception dans la voix. Le souvenir que j'ai de toi est celui d'un sirène qui ne juge jamais une situation avant de s'être fait sa propre opinion.

Il n'en fallut pas plus pour que Diou explose :

– Vous pensiez vraiment que vous réussiriez à obtenir mon appui après ce que vous avez fait ?

– De quoi parles-tu ? Qu'avons-nous pu faire de si terrible pour provoquer ta colère ?

– C'était tout simplement ignoble d'envoyer des frolacols pour attaquer nos femmes et nos enfants ! J'adore ma patrie et je la défendrai sans hésiter contre des souverains comme vous, qui veulent régner par la peur !

L'accusation était énorme. Déjà exaspéré par les pourparlers du matin et à court d'arguments pour se défendre, Hosh s'emporta à son tour et dévoila un secret bien gardé depuis huit ans.

– Nous n'avons jamais contrôlé ces êtres immondes ! C'est Alicia, la mère de votre reine, qui a ce pouvoir !

– HOSH ! Cela devait rester entre nous ! s'exclama Marguerite en entrant dans la pièce sur ces entrefaites.

Le roi prit conscience que son excès de colère était parvenu mentalement jusqu'à sa sœur et qu'elle avait nagé jusqu'à lui.

– Pfff ! Quelles allégations ridicules ! cracha Diou avec mépris.

– C'est pourtant vrai, le détrompa la reine en soupirant.

« Maintenant que le crabe est sorti de sa carapace, aussi bien aller jusqu'au bout », dit-elle à son frère par télépathie.

Les souverains racontèrent donc à Diou comment Alicia s'était servie des frolacols pour tuer leur père et leurs oncles plusieurs années auparavant. Ils lui parlèrent aussi de la SPAL et du sabotage pendant les épreuves de la course à la couronne.

– Je ne sais pas à quand remontent les événements auxquels tu fais référence, poursuivit

Hosh, mais je peux t'affirmer que les frolacols n'existent plus et qu'il est impossible qu'ils aient attaqué ton peuple. Il y a quatre ans, nos soldats se sont chargés de les éliminer des profondeurs des océans.

Diou avait écouté le récit des souverains de Lénacie sans les interrompre, mais le doute se lisait encore dans ses yeux. De toute évidence, il avait eu droit à une tout autre version, à Lacatarina... La question était : qui croirait-il ?

* *
*

Au milieu de la nuit, Hosh se réveilla en sursaut. Il tendit l'oreille, mais aucun son suspect ne lui parvint. Croyant avoir fait un cauchemar dont il n'avait pas le souvenir, il essaya de se rendormir. Plus facile à dire qu'à faire ! Quelque chose le dérangeait. Il se concentra... Une vibration... Une vibration inconnue qui provenait de son bureau personnel ! Personne à part Quillo et Marguerite n'avait l'autorisation d'y pénétrer et ceux-ci n'avaient aucune raison de s'y rendre en pleine nuit.

La seule façon d'accéder à cette pièce était de passer par le corridor privé à l'intérieur des appartements du souverain. Plus haut que large, ce couloir comprenait un accès direct à un petit boudoir, au bureau de travail et finalement à la chambre du roi. Lorsqu'il avait pris possession des appartements d'Usi, après le départ de celui-ci, Hosh avait fait transformer la chambre de son oncle en bureau et vice-versa.

En avançant lentement afin de ne pas trahir sa présence par le mouvement de l'eau, Hosh colla son corps au plafond du corridor, de façon à demeurer le plus possible hors de vue.

Quelques minutes plus tard, la porte d'algues du bureau s'ouvrit et Coutoro en sortit. L'air extrêmement contrarié, il passa sous Hosh sans le voir et fit une pause devant la porte de la chambre du roi.

« Il ne va tout de même pas entrer ?! » s'étonna Hosh.

Après une brève hésitation, l'ancien évaluateur fit demi-tour et nagea vers la sortie des appartements.

« Que faisait-il dans l'ancienne chambre d'Usi ? se demanda Hosh. Une chose est sûre : il est reparti bredouille ! »

* *
*

Le lendemain matin, alors qu'il repensait aux événements de la nuit, Hosh se rappela que l'ancien évaluateur n'était pas censé se déplacer sans gardes dans le palais...

Après vérification, Quillo l'informa que le garde chargé de le surveiller avait été drogué.

– Pendant un moment, j'ai cru qu'un de mes gardes m'avait trahi, soupira Hosh, soulagé. La question est maintenant de savoir si Coutoro a visité d'autres pièces du château et ce qu'il pouvait bien chercher comme ça, au beau milieu de la nuit.

Jessie eut un sourire satisfait en lisant la missive qu'elle venait de recevoir de son meilleur agent, infiltré à Lénacie depuis des mois. Ses chers cousins n'avaient aucune idée de ce qui allait leur tomber dessus...

« Si j'avais pensé avant à cette solution pour exterminer les Lénaciens, je ne me serais pas donné la peine de monter une armée ! » songea la reine de Lacatarina.

- 3 -

Invasion

Voilà plusieurs mois déjà que les souverains lénaciens et leurs conseillers cherchaient une idée de cadeau à offrir à Jessie et à Mobile pour alléger les tensions. Non pas que la pensée de faire un cadeau à sa cousine plaisait à Marguerite, mais son équipe-conseil avait jugé que ce serait une excellente stratégie diplomatique. Le problème était de trouver quelque chose d'impressionnant, qui ne pourrait pas servir contre Lénacie. Ainsi, on avait éliminé l'idée d'offrir des armes, celle des objets technologiques – comme les sonars – ou celle des bijoux en awata pour ne pas jeter de l'huile sur le feu après les événements du site d'extraction.

« Que peut-on offrir à quelqu'un qui a déjà tout ? » se demanda Marguerite pour la centième fois alors qu'elle et ses conseillers discutaient autour d'une table.

Comme cela lui arrivait souvent dans de telles occasions, les pensées de la reine se tournèrent vers ses parents adoptifs sur terre. Qu'aimaient-ils recevoir en cadeau ? Marguerite revit chaque pièce de sa maison et la réponse lui apparut... L'art ! Elle repensa aux lampes sculptées dans le bois que Cynthia affectionnait tant, aux toiles que Gaston rapportait parfois et aux longues discussions qui s'ensuivaient pour décider où les accrocher...

Il ne restait qu'à adapter cette idée au monde de la mer. La pièce aux dauphins et ses murs magnifiquement gravés s'imposèrent à l'esprit de Marguerite.

– Nous pourrions leur offrir une pierre taillée, proposa la reine sans attendre.

– Que veux-tu dire ? la questionna Hosh.

– Une sorte de grande pierre mince sur laquelle on ferait graver une image de la cité de Lénacie. On pourrait y ajouter de la couleur grâce à la pâte de maquillage et vernir le tout avec de la graisse de limaces.

– Nous n'avons pas beaucoup de temps..., lui rappela madame de Bourgogne. La délégation repart dans deux jours.

– Je connais une sirène qui peut créer une telle œuvre d'art en très peu de temps, renchérit Hosh.

– Qui est cette sirène ? demanda Mac.

– L'ex-aspirante Pascale.

– Impossible, refusa le chef de la sécurité. Elle a été bannie du palais.

« Vont-ils en revenir un jour ? » s'insurgea Marguerite intérieurement avant de prendre la parole :

– Puis-je vous rappeler que dix ans se sont écoulés depuis les événements qui ont entraîné son bannissement ? Que Pascale a gagné le concours de gravure au trident organisé à Lacatarina alors qu'elle n'était qu'une adolescente et qu'elle est la meilleure que le royaume ait connue depuis longtemps ? Puis-je aussi vous rappeler que notre but aujourd'hui n'est pas de ressasser le passé mais d'offrir le plus beau cadeau possible aux souverains lacatariniens pour garantir un avenir de paix à notre belle cité ? Si engager Pascale est la solution... eh bien, engageons-la !

Le silence suivit les paroles de la reine.

« Merci, Marguerite, ça me fait chaud au cœur que tu prennes ainsi sa défense devant le conseil », entendit-elle distinctement dans sa tête.

– Je pense que notre souveraine vient de nous donner une grande leçon de sagesse, énonça maître Robin. Je vote en faveur de cette idée.

Les autres conseillers approuvèrent et Quillo fut chargé de contacter Pascale. Celle-ci accepta le travail avec enthousiasme.

* *
*

Nageant aux côtés de Coutoro, Marguerite ne pouvait s'empêcher d'être suspicieuse. Cela faisait maintenant deux jours que l'ex-évaluateur avait visité le bureau de Hosh en catimini et les souverains n'avaient pas encore réussi à découvrir ce que le sirène y cherchait.

Lorsque le petit groupe formé de la délégation lacatarinienne et de ses conseillers arriva près d'une petite scène où serait dévoilée la gravure, Marguerite surprit une conversation entre Coutoro et Diou.

– N'est-ce pas Corow, notre ancien marchand d'assurs, que je vois en train de nettoyer les vitres de cette usine là-bas ? fit le sirène à la voix déplaisante.

– Je pense que oui..., répondit Diou.

– Ça alors ! On sait maintenant qui accueille les sirènes qui ont trahi notre patrie, rétorqua Coutoro d'une voix forte de façon à être entendu par Corow.

Marguerite constata que les traits du réfugié lacatarinien se crispèrent. Puis, presque simultanément, elle vit avec horreur un espadon de près de quatre mètres se diriger droit vers Coutoro à une vitesse de près de cent kilomètres par heure. Alerte, le garde qui accompagnait leur groupe lança un rayon violet dans le but d'encercler le poisson et de ralentir sa course.

– Ne le tue pas ! s'écria la reine.

Marguerite savait que les espadons se nourrissaient de calmars, les alliés naturels de Jessie. En tant que prédateurs, ils étaient donc essentiels à l'armée lénacienne.

– Il est coriace, grimaça le garde, dont le rayon changeait de couleur au fur et à mesure qu'il augmentait ses efforts.

Rien n'y faisait : le long rostre de l'espadon s'approchait lentement mais sûrement de Coutoro, qui semblait tétanisé sur place. Marguerite s'apprêtait à donner l'ordre au garde de changer son rayon-lasso pour un rayon mortel lorsque l'espadon bifurqua brusquement et voulut fuir.

Le garde leva le bras avec précaution et le rayon se rompit. Marguerite constata que maître Robin était aux côtés de Corow.

– C'est scandaleux ! s'écria Coutoro en toisant la reine de haut. On vient ici en paix et on se fait attaquer par des poissons qui ne devraient pas avoir leur place dans une cité civilisée ! Soyez certaine que mes souverains en entendront parler !

Marguerite blêmit. Elle n'avait pas l'habitude qu'on lui crie après. Toutefois, Coutoro avait bel et bien été attaqué... et devant Diou, en plus. Elle devait rattraper la situation, et vite !

– Je suis désolée pour ce qui vient de se passer..., commença-t-elle.

– Je n'en ai rien à faire que vous soyez désolée ou non ! la coupa Coutoro. J'ai failli être embroché et vous n'avez pas bougé une seule écaille pour me venir en aide. C'est inacceptable !

Maître Robin rejoignit la reine et leva une main devant Coutoro en signe d'arrêt.

– Ce qui est inacceptable, en ce moment, c'est votre façon de vous adresser à la reine du royaume de Lénacie ! rétorqua-t-il d'une voix calme et légèrement menaçante. Je comprends que vous soyez bouleversé, mais vous êtes toujours en vie, non ? Les espadons sont des animaux sauvages dont on ne peut pas prévoir le comportement. À Lénacie, comme vous le savez pour avoir vécu ici de nombreuses années, ils sont en très petit nombre et sont gardés dans un enclos sous surveillance. Nous enquêterons pour comprendre ce qui s'est passé. En attendant, n'oubliez pas que sa Majesté la reine a ordonné à son garde de vous sauver la vie et qu'il y est parvenu.

– Effectivement, fit Coutoro en se tournant vers le garde, je vous remercie, mon brave.

Il n'adressa aucun remerciement à la reine et lui tourna le dos. Maître Robin se pencha à l'oreille de Marguerite et chuchota :

– Je parlerai à Corow... L'incident ne se répétera pas.

La reine hocha la tête pendant qu'une idée germait dans son esprit.

* *
*

Juste avant le repas du soir, Diou pénétra dans le bureau de Marguerite.

– Je te remercie d'avoir accepté mon invitation, déclara la jeune souveraine. Je tenais à te présenter quelqu'un.

Corow entra dans la pièce. Les traits de Diou se crispèrent.

– Ce sirène est arrivé ici depuis moins de quinze jours et il m'a raconté des choses bien étranges à propos de Lacatarina, commença la reine. Étant donné que nous avons déjà découvert des différences entre la réalité que tu nous as rapportée, à Hosh et à moi, et celle que nous connaissons, j'ai pensé qu'il en était peut-être de même cette fois aussi.

Marguerite invita Corow à prendre la parole et à raconter son histoire. L'ex-Lacatarinien relata sans détour l'intimidation et la violence qu'il avait subies. La reine grinça des dents en entendant le nom de Coutoro ressortir quelques fois dans son récit. Diou posa plusieurs questions au sirène afin de vérifier ses dires. La reine les laissa discuter ensemble pendant de longues minutes. Ensuite, elle donna congé à Corow et resta seule avec Diou.

– Nous savons tous les deux qu'un conflit menace nos cités, lui confia Marguerite. Tu dois me croire lorsque je te dis que ni mon frère ni moi n'avons fait quelque chose pour en arriver là. Nous souhaitons plus que tout vivre en harmonie avec ton peuple, mais je crois de moins en moins que ce soit une volonté partagée. Si tu peux faire une différence dans cette histoire, fais-nous confiance et aide-nous ! C'est tout ce que je te demande.

La reine venait de jouer sa dernière carte. Elle avait donné matière à réflexion à Diou. Serait-ce suffisant pour que Hosh et elle puissent compter sur l'aide du bras droit de Mobile ?

* *
*

Le lendemain, au grand soulagement des souverains, la délégation lacatarinienne repartait avec le présent offert par les souverains de Lénacie. Même s'ils avaient tenté de ne pas le laisser paraître au moment du dévoilement de la sculpture, la reine avait bien vu qu'ils avaient été impressionnés devant l'œuvre d'art de Pascale. Malgré ce cadeau, aucune réunion n'avait pu avoir lieu après l'incident entre l'espadon et Coutoro, et seul l'avenir dirait à Marguerite et à Hosh s'ils avaient réussi à se faire un allié de Diou...

Après le départ de la délégation, les souverains lénaciens convoquèrent le chef des gardes pour lui demander de reformer l'armée composée d'alliés naturels. Celle-ci avait toujours eu une fonction très importante lors des grandes guerres passées. En étant à l'avant-plan lors d'une bataille, l'armée d'alliés permettait d'éviter que des vies de sirènes soient sacrifiées dès le début des hostilités. De plus, les poissons et les mammifères marins étaient si diversifiés qu'ils constituaient autant d'armes différentes, si on savait bien les contrôler et les utiliser. L'armée de sirènes et celle d'alliés naturels n'avaient pas travaillé ensemble depuis l'époque des arrière-grands-parents de Marguerite et de Hosh.

« J'espère ne pas avoir à utiliser la violence, mais il serait imprudent d'ignorer la menace. Mieux vaut prévenir... », estima la reine.

* *
*

Une dizaine de jours après le départ de la délégation, Marguerite sortit de sa chambre au petit matin et découvrit une limace de mer rouge à pois jaunes qui rampait sur le mur devant elle. L'étrangeté de la présence du mollusque ne la frappa pas tout de suite.

Elle se rendit dans son bureau où Leila et Céleste l'attendaient. Aussitôt la porte d'algues franchie, la reine fut prise d'assaut par ses deux amies.

– Voici votre déjeuner, Majesté, lança Leila en lui tendant une carapace de tortue verte remplie d'œufs de morue et de morceaux de racines de clipse.

– Tu as une rencontre avec un directeur d'usine à la première heure..., lui rappela Céleste en consultant l'emploi du temps de la reine. Ton coiffeur sera là au deuxième chant de la mi-journée et Hosh t'a envoyé trois poissons-messagers depuis ce matin.

Céleste indiqua de la main les rouleaux d'algues cachetés qui attendaient Marguerite sur le bureau royal.

– Je vous parie que Quillo a oublié de planifier le rendez-vous de mon frère chez son coiffeur et qu'il veut bénéficier du mien. Je pourrais lui jouer un tour et demander à mon coiffeur de lui faire de jolies nattes !

Les trois jeunes femmes éclatèrent de rire en imaginant le roi avec deux longues tresses décorées de pierreries et de rubans d'algue. Les réunions et les prises de décisions importantes étaient devenues si nombreuses dans la vie de Marguerite qu'elle se permettait souvent de faire preuve d'humour avec ses amies lorsqu'elles étaient en privé.

Pendant que Céleste poursuivait sa lecture du programme de la journée, la reine aperçut une deuxième limace ramper sur la bibliothèque en cuir de baleine de son bureau. Celle-là était bleue avec des antennes jaunes.

Intriguée, Marguerite prêta davantage attention à son environnement et vit qu'il y avait des limaces de mer un peu partout autour d'elle !

– Qu'elles sont belles ! s'exclama-t-elle. Regarde, Céleste, aucune n'est identique !

– C'est vrai, approuva son amie. Je trouve ça un peu bizarre... Je n'ai jamais vu ces limaces en si grand nombre, encore moins dans le palais. Habituellement, les nettoyeurs s'occupent de les faire disparaître.

Un demi-chant plus tard, Marguerite comprit que Céleste avait eu raison de s'inquiéter : Lénacie était en proie à une invasion de limaces de mer...

* *
*

En deux jours, le nombre de nudibranches s'intensifia jusqu'à ce qu'il y en ait dans toutes les pièces et les couloirs du palais, dans les maisons des habitants, sur les arbres, sous les coquillages... Partout ! La reine vit même son frère grimacer de dégoût quand il en trouva une dans sa carapace de nourriture. Beurk !

Marguerite jugeait que les petites bestioles étaient beaucoup moins jolies, subitement ! La situation devenait préoccupante...

Toutefois, les souverains n'étaient pas au bout de leurs surprises, car l'équipe de scientifiques chargés d'étudier le phénomène était alarmée.

– Les limaces sont en train de dévorer toutes les éponges de la cité ! mentionna le chef d'équipe. La santé des habitants est lourdement compromise...

Marguerite savait que, si les réserves d'éponges diminuaient, l'eau de la cité ne serait plus filtrée adéquatement.

– Ce n'est pas tout, ajouta le sirène. Les limaces attaquent également les champs royaux de culture d'huîtres.

Si les huîtres, qui créaient les perles, étaient en danger, c'était toute l'économie de la cité qui menaçait de s'écrouler ! Et, si une guerre devait être déclenchée, cela pourrait se révéler très problématique ! En effet, faire la guerre coûtait toujours très cher, que ce soit à cause de l'achat d'armes, de médicaments ou parfois même d'alliés naturels dans d'autres cités. De plus, la richesse d'un royaume pouvait jouer en sa faveur et être objet de négociation.

La reine décida de ne pas céder à la panique malgré la vague de mauvaises nouvelles. Tout d'abord, elle donna l'ordre que des sirènes soient assignés au nettoyage des principaux champs d'éponges qu'elle avait fait planter au début de son règne le long de la barrière de protection.

Ensuite, Hosh et elle se rendirent dans le parc d'élevage d'huîtres, pour constater la gravité du problème.

Le champ d'huîtres était constitué de longues cordes d'algues tressées, suspendues à une vingtaine de mètres du sol, à la manière de cordes à linge. De celles-ci pendaient d'autres cordes, qui descendaient à la verticale jusqu'au sol. Une trentaine d'huîtres étaient fixées sur chacune d'elles.

Marguerite avait toujours cru qu'une huître ne pouvait produire qu'une seule perle à partir d'un seul grain de sable, mais, dès sa première visite au champ d'élevage, elle avait constaté que cela était vrai seulement pour les huîtres sauvages. Ici, tous les ans, les ostréiculteurs inséraient à la main entre trente et cinquante minuscules fragments de coquille dans chaque huître. Le mollusque se défendait contre les corps étrangers en les recouvrant de nacre et, au bout de deux à six ans, les huîtres produisaient autant de belles perles bien rondes.

– La limace de mer perfore les huîtres, expliqua le sirène qui accueillit les souverains. Elle les fait mourir pour ensuite s'en nourrir.

Pour le moment, les ostréiculteurs arrivaient à tenir les limaces à l'écart grâce à une armée d'employés qui traquaient les bestioles. Toutefois, ils avaient de plus en plus de difficulté à y parvenir en raison du nombre grandissant de nudibranches et de leur nouvelle stratégie d'attaque : ils se laissaient porter par le courant pour atterrir sur les huîtres !

Le cerveau de Marguerite était en ébullition. La mort des éponges et des huîtres dans la cité... Quelle belle façon de mettre en danger à la fois la santé des Lénaciens et les finances du royaume ! Plus elle y pensait, plus la reine était persuadée que les limaces n'étaient pas arrivées à Lénacie par leurs propres moyens... Un sirène ou un syrmain devait être responsable de l'invasion. L'image de Jessie s'imposa dans son esprit. Et s'il s'agissait d'un sabotage ?

De retour au palais, Marguerite s'enferma dans la salle aux dauphins avec son jumeau pour lui faire part de ses conclusions.

– Arrggghhhh !!! rugit Hosh. Tu as raison, il y a du Jessie là-dessous, j'en donnerais ma nageoire aux requins !

– On pourrait ouvrir la barrière de protection pendant quelques chants, proposa Marguerite dans l'espoir de trouver une solution au problème. Sans la protection de notre microclimat, les limaces mourront aussitôt.

– Voyons, tu n'y penses pas ! s'exclama Hosh. Imagine tous les poissons, les mammifères, les reptiles et les invertébrés qui mourraient aussi !

Son jumeau avait raison.

– Et le cristal noir de Langula ? marmonna la reine en se massant les yeux parce que sa vue s'embrouillait tout à coup. Tu crois qu'on...

Puis, sans crier gare, son champ de vision rétrécit et tout devint noir.

- 4 -
Zhul

Lorsque Marguerite revint à elle, Hosh la tenait dans ses bras et répétait son nom, paniqué.

– Je vais bien..., murmura la jeune femme en se relevant à la verticale d'un coup de queue. J'ai perdu conscience, c'est tout.

– Est-ce que ça t'arrive souvent ? s'informa son frère.

– En deux mois, c'est la troisième fois. Ça se produit toujours dans des moments où je suis stressée. Ne t'inquiète pas, je dois seulement apprendre à me relaxer. Revenons à nos crevettes, veux-tu ?

Hosh approuva, mais il restait sceptique quant à l'explication des évanouissements de sa sœur.

– Pour m'avoir parlé du cristal, tu devais effectivement être très stressée ! concéda le roi.

Marguerite admit que son idée d'utiliser la pierre était excessive. L'arrière-arrière-grand-mère des souverains, Éva, était la dernière à l'avoir eu en sa possession et, plutôt que de l'utiliser, elle s'était servie du pouvoir du cristal pour lui trouver une cachette exceptionnelle. Lors du troisième été d'épreuves, Hosh et Marguerite avaient découvert ce lieu secret ainsi que son gardien, Neptus, un dragon des mers. Ils s'étaient toutefois juré de ne jamais utiliser la pierre aux puissantes propriétés, sous aucun prétexte...

– Il faudrait trouver les prédateurs des limaces, soupira Marguerite, à court d'idées.

– Ce ne sera pas facile, lui fit savoir Hosh, en tant que spécialiste de la faune océanique. Les limaces ont très peu de prédateurs naturels, car elles ont mauvais goût. Parfois, elles sont même toxiques ! Les doridiens, par exemple, sont des limaces capables d'emmagasiner le venin des éponges dont elles se nourrissent pour ensuite dissuader leurs prédateurs de les manger.

Un long silence suivit les paroles de Hosh. Les deux souverains se mirent à nager en rond, cherchant une solution. Marguerite essayait de se remémorer tout ce qu'elle avait appris sur la vie océanique depuis son arrivée à Lénacie, douze ans plus tôt. Elle était persuadée que la solution était tout près...

* *
*

En entrant dans sa chambre ce soir-là, Marguerite vit Damien, un sac en cuir de baleine à la main, en train de ramasser toutes les limaces qu'il voyait.

– Avez-vous trouvé une solution ? s'enquit-il aussitôt.

– Non..., soupira son épouse. C'est un fléau !

– Je sais, mon Awata, mais ce n'est pas en t'épuisant que tu auras un éclair de génie. Tes yeux sont si cernés à force que tu ne dormes pas ! Essaie d'oublier ça et de te coucher la tête tranquille. Si tu fais d'autres cauchemars, ton frère va encore débarquer en catastrophe dans notre chambre au beau milieu de la nuit !

Marguerite rit. Damien avait raison et il connaissait mieux que quiconque le lien extrêmement fort qui unissait par moments sa femme à Hosh. Combien de fois avait-il vu son épouse sortir précipitamment d'une pièce en marmonnant quelque chose qui ressemblait à « Hosh a besoin de moi » sans qu'elle ait reçu de poisson-messager ? De son côté, son jumeau accourait au bon moment, lui aussi, tel le plus protecteur des frères.

– Je suis contente de pouvoir compter sur lui, murmura Marguerite, tendrement.

– Oui, c'est une réelle chance que tu as, approuva Damien en balançant une énième limace dans son sac. Mais si, à force de lui envoyer des ondes d'inquiétude, tu l'empêches de dormir lui aussi, vous ne serez pas très efficaces comme souverains.

Marguerite ignorait comment réussir à mettre de côté les images de sa belle cité envahie par les limaces qui défilaient dans sa tête... Les sirénaux du royaume nageaient dans une eau de moins en moins saine et les réserves de nourriture des habitants seraient bientôt grandement affectées.

– Ce qu'il nous faudrait, c'est une sorte d'escargot turbo géant qui, au lieu de se nourrir de microalgues, mangerait des nudibranches, mentionna Marguerite.

Cette variété de mollusques était utilisée pour nettoyer toutes les surfaces du palais où poussaient les microalgues en profusion.

– C'est ça ! s'écria la jeune femme. Il me faut des aspirateurs sous-marins ! Je vais aller voir Dave.

* *
*

– Es-tu sérieuse ? s'exclama Dave. Tu veux que j'invente des aspirateurs à limaces ? J'espère que tu te rends compte que c'est un exploit difficilement réalisable...

Le scepticisme de Dave refroidit Marguerite.

– Heureusement..., continua-t-il avec un sourire en coin, je travaille sur un prototype de ce genre depuis un peu plus de vingt-quatre chants ! Je n'ai pas pu fermer l'œil... Viens, je vais te montrer les plans.

Le syrmain entraîna la reine vers sa table de travail, située près du plafond de sa demeure. Marguerite fut impressionnée : avec quelques-uns de ses amis ingénieurs, Dave avait inventé un appareil qui, en théorie, pourrait les débarrasser d'une centaine de limaces par demi-chant.

– Il ne reste qu'à le construire, précisa-t-il.

– Je t'ouvre les ateliers du palais et je te fournis toute la main-d'œuvre et le matériel dont tu auras besoin ! s'enthousiasma Marguerite. Si ton appareil pilote fonctionne, il te faudra en construire plusieurs pour venir à bout de ces bestioles indésirables !

* *
*

Il fallut trois essais et plusieurs ajustements, mais six chants plus tard, le premier aspirateur à limaces de mer était officiellement en fonction. Il s'agissait d'un tuyau de bois creux dont une extrémité était munie d'une ventouse et l'autre, d'un immense sac en peau de baleine. À l'aide d'un aérodynamo, un tourbillon était créé à la base de la ventouse et le courant aspirait la limace dans le sac. Les bulles d'air pouvaient ensuite s'échapper par une multitude de trous microscopiques, percés au fond de la gibecière.

– Ce n'est pas parfait, mais ça devrait éliminer le plus gros, prévint Dave lorsque Marguerite entra dans l'atelier avec une équipe d'employés chargée du nettoyage de la cité.

Puis, se tournant vers les ouvriers, il leur donna ses instructions :

– Assurez-vous d'aspirer chaque limace AU COMPLET, car elles sont capables de pratiquer l'autotomie. Cela signifie qu'elles peuvent abandonner une partie non vitale de leur corps, comme leur queue ou leur peau, pour échapper à un prédateur.

L'opération nettoyage dura douze jours, pendant lesquels les aspirateurs fonctionnèrent jour et nuit.

* *
*

– Félicitations ! lança Céleste à Marguerite en entrant dans son bureau le matin du treizième jour. Le responsable de l'entretien de la cité vient de me confirmer que tout danger en lien avec l'invasion de limaces est maintenant écarté !

– Super ! Je suis vraiment heureuse de l'apprendre. Je n'en reviens toujours pas, de l'aide apportée par la population. Si les citoyens n'étaient pas sortis dans les rues pour ramasser à la main les limaces, l'opération aurait été encore plus longue.

– Encore une fois, les Lénaciens ont démontré leur sens de la solidarité. C'est dans ces moments-là que je suis fière de ma décision de vivre dans l'océan !

– Est-ce qu'il t'arrive de regretter aussi ton choix ? s'informa Marguerite.

– Pas souvent, mais il y a quinze jours, lorsqu'on était au cœur de l'invasion, je t'avoue que ça m'a effleuré l'esprit ! pouffa Céleste.

Marguerite allait répondre à son amie lorsque Leila pénétra dans la pièce.

– Votre nouveau garde du corps est arrivé, Majesté, annonça-t-elle.

– Oh ! J'avais complètement oublié, s'exclama Céleste en déroulant l'horaire de la reine. Si tu es prête, Marguerite, je vais le faire entrer.

Les gardes chargés de la protection des souverains étaient triés sur le volet. On leur faisait traverser une série de tests afin de savoir s'ils étaient prêts à risquer leur vie pour ceux qu'ils protégeaient. Le dernier test de sélection consistait en une entrevue avec la reine. Comme les gardes du corps étaient appelés à passer beaucoup de temps avec les souverains, ceux-ci devaient être à l'aise en leur présence. La nomination finale dépendait donc de Marguerite.

Le sirène qui entra était âgé d'une vingtaine d'années et était musclé comme s'il soulevait des poids à longueur de journée. Les écailles de sa queue étaient orange brûlé et de profondes cicatrices traversaient son torse et son bras droit. Il descendit de quelques centimètres dans une révérence et, sur un signe de Marguerite, se releva. Sans gêne, il la regarda droit dans les yeux, l'air confiant. Le garde dégageait une aura de calme et d'assurance qui plut aussitôt à la reine.

– Comment vous appelez-vous ? lui demanda-t-elle.

– Zhul.

– Pourquoi désirez-vous ce poste ?

– Je suis convaincu que j'ai toutes les qualités requises pour bien vous protéger. Je suis garde depuis cinq ans et être garde du corps royal, c'est une affaire de génération, dans ma famille. Mon père, mon grand-père et mon arrière-grand-père l'ont tous été avant moi. Ce serait un honneur de remplir ce rôle à mon tour. Au fait, vous promenez-vous encore parfois à bord d'un vélorine ? lui demanda abruptement Zhul.

« Quelle drôle de question ! Et si... »

Marguerite observa attentivement le visage du sirène et un déclic se fit dans son esprit. Elle revit le visage d'un enfant. Est-ce que, par hasard, le grand gaillard qui se tenait devant elle serait le jeune siréneau qui l'avait sauvée du piège tendu par Jack, lors du premier été de la course à la couronne ? En plein milieu d'une course à obstacles, son cousin l'avait enfermée dans une remise. L'enfant avait fait exploser la porte d'algues en utilisant le trident de son père, qui était garde au palais. Ce même siréneau lui avait ensuite montré comment se servir d'un vélorine pour lui permettre non seulement de rattraper son retard, mais aussi de prendre de l'avance sur Jack.

– Oui, j'en fais encore à l'occasion, répondit la reine en souriant. Il faut dire que j'ai eu un bon instructeur. Il semble d'ailleurs que, de son côté, il ait appris à se servir adéquatement d'un trident.

– Il avait ça dans le sang, Majesté !

Zhul et Marguerite éclatèrent de rire. Tous deux retrouvèrent immédiatement cette belle complicité qu'ils avaient partagée, plusieurs années plus tôt.

– Que dis-tu ? cracha Jessie au visage d'un autre de ses informateurs.

– Que la reine Marguerite a mentionné le cristal noir de Langula pour venir à bout de l'invasion de nudibranches, répéta le sirène.

« Comment est-ce possible ? se demanda Jessie. Mes cousins ne peuvent pas avoir réellement trouvé cette pierre. La présence du cristal près de Lénacie a été une pure invention de ma mère pour éliminer un ou deux couples de la course à la couronne ! Et puis, s'ils l'avaient vraiment en leur possession, ils l'auraient utilisé avant aujourd'hui ! »

– Bien sûr que non ! hurla-t-elle, en colère. Pas eux ! Ils sont bien trop gentils et honnêtes pour profiter des pouvoirs de cette pierre !

Elle nageait en rond dans la pièce, réfléchissant à toute vitesse.

– Contacte Lamf ! ordonna-t-elle. Si les Lénaciens arrivent à repousser l'invasion, qu'il passe au plan suivant ! Immédiatement ! Oh ! Et qu'il me trouve un élément de négociation... Je VEUX ce cristal !

Le cerveau de Jessie était en ébullition. Elle s'imaginait déjà en possession du cristal noir de Langula et ce qu'elle entrevoyait dépassait tous ses rêves les plus fous.

- 5 -

Sabotage

Une dizaine de jours après l'extermination de la dernière limace, Hosh dut admettre que toute cette histoire et le manque de sommeil qui en avait découlé l'avaient physiquement affecté. Durant un chant complet, il avait écouté Occare lui présenter les derniers relevés des finances du royaume, mais il n'avait pu s'empêcher de se frotter les yeux, qu'il peinait à garder ouverts. L'invasion et ses conséquences avaient fait un trou dans les coffres de perles et ils devaient envisager ensemble une panoplie de scénarios pour redresser la situation.

Voilà une partie de son travail que le roi aurait volontiers refilée à sa sœur si elle n'avait pas déjà elle-même son lot de dossiers importants à gérer !

– Je refuse qu'on arrête d'investir dans les recherches de Dave, décida-t-il après une longue discussion à ce sujet. Nous ne sommes qu'à un tentacule d'entrer en guerre avec Lacatarina et, dans toutes les grandes batailles de notre histoire, c'est souvent les avancées technologiques qui ont fait la différence entre la victoire et la défaite.

Dans un soupir, Occare se pencha à nouveau sur ses chiffres, déplaçant les coquilles de mollusques de droite à gauche sur son boulier.

Pendant ce temps, un poisson-messager entra dans la pièce. Hosh tendit la main et retira le petit tube attaché autour de la nageoire dorsale du poisson.

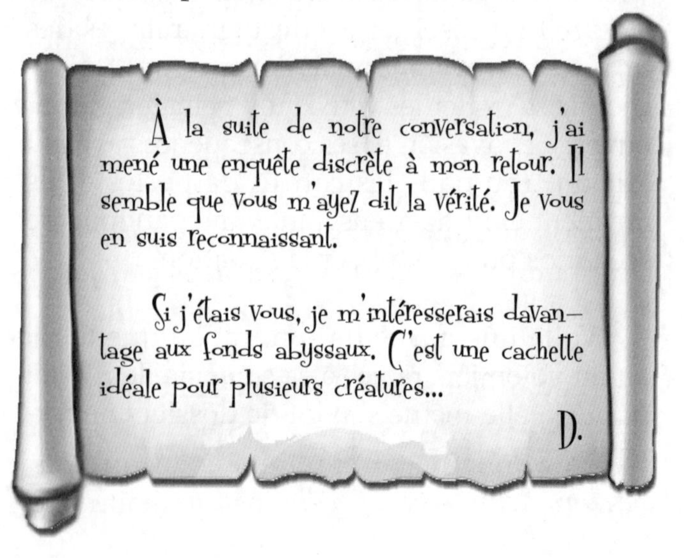
À la suite de notre conversation, j'ai mené une enquête discrète à mon retour. Il semble que vous m'ayez dit la vérité. Je vous en suis reconnaissant.

Si j'étais vous, je m'intéresserais davantage aux fonds abyssaux. C'est une cachette idéale pour plusieurs créatures...

D.

Il ne faisait aucun doute pour Hosh que le message venait de Diou. La longueur de la missive et le peu de précision laissaient sous-entendre que le sirène craignait d'être surveillé.

« Son aide nous sera très précieuse, estima Hosh. Il sera nos yeux et nos oreilles à Lacatarina. »

Le roi mit fin à sa réunion avec Occare et s'empressa d'aller montrer le mot à Marguerite.

– Les fonds abyssaux ? s'étonna-t-elle. Lesquels ? C'est très vaste, comme indice...

– Je commencerais par ceux près de la frontière entre Lénacie et Lacatarina. Demandons à Dave d'y envoyer ses poissons-robots sur-le-champ pour une reconnaissance des lieux !

En soirée, les souverains firent aussi appel à l'équipe d'ingénieurs du Voltamiria. Commencée deux ans auparavant, la fabrication de ce sous-marin avait été laborieuse, mais le résultat final ne risquait pas de décevoir la population.

Pendant leur dernière année d'épreuves, après leur voyage à Octavy, Marguerite et Hosh avaient souhaité entreprendre la découverte des fonds abyssaux. C'est ainsi qu'était né le

Voltamiria. C'est Quillo qui avait eu l'idée de baptiser ainsi l'appareil en jumelant trois mots dans la langue des sirènes : *voltarma, misiq* et *ria,* qui signifient respectivement *exploration, puissance* et *futur.*

On avait donné à l'engin la forme d'une bulle, de façon à ce que les ondes des sonars humains soient déviées et ne puissent détecter sa présence. Contrairement aux véhicules fabriqués par les humains, qui devaient contenir une certaine quantité d'air et d'oxygène, le Voltamiria était entièrement rempli d'eau de mer. Cela lui conférait la capacité de se rendre sans problème à plus de douze mille mètres de profondeur, car ses parois n'avaient pas à lutter contre la pression de l'eau. Seulement trois sirènes pouvaient y loger et de grands bras mécaniques permettaient de prélever des échantillons fauniques, végétaux et minéraux.

Les moteurs du Voltamiria fonctionnaient selon le même principe que ceux du correntego, c'est-à-dire grâce à l'énergie produite par l'explosion des bâtons d'awata, mis en contact avec des cristaux de soufre et de zinc.

Le sous-marin était terminé depuis plusieurs semaines, mais son inauguration avait été retardée en raison de l'arrivée de la délégation lacatarinienne et de l'invasion des limaces.

« J'ai bien fait d'investir dans ce projet, se répéta Hosh. Malgré les quelques trous dans les finances du royaume, le Voltamiria sera essentiel à l'exploration des abysses. »

Dès que les ingénieurs arrivèrent, les souverains leur annoncèrent que la première expédition partirait dès le retour des poissons-robots de Dave, dans deux jours.

Le roi se prit à souhaiter que ses chercheurs trouvent dans les abysses quelques espèces animales pour renforcer son armée d'alliés naturels.

* *
*

Le lendemain, au premier chant de la mi-journée, Hosh rejoignit Quillo pour entreprendre la visite quotidienne de ses armées, toutes deux situées au nord de la cité. Les deux amis s'équipèrent chacun d'un trident et commencèrent par faire la tournée des terrains d'entraînement de l'armée de sirènes. Les soldats s'y entraînaient à la « nage de vitesse », au combat à mains nues et à la course à obstacles. Pour rendre les exercices encore plus difficiles et pour raffermir leurs muscles, ils attachaient un poids à l'extrémité de leur nageoire caudale et portaient un sac rempli de pierres sur le dos.

– Céleste est là, fit remarquer Hosh à Quillo, en pointant la jeune femme quelques mètres plus loin.

Lorsqu'elle n'était pas au service de Marguerite, Céleste venait souvent s'entraîner et se mesurer aux meilleurs nageurs de l'armée.

– Savais-tu que Garry, le chef des gardes, lui a demandé en personne de venir aux terrains d'entraînement régulièrement ? fit Quillo, visiblement fier de sa jumelle.

– Hum... Tu ne trouves pas qu'il est trop vieux pour elle ? Il doit bien avoir environ soixante-cinq ans !

– Idiot ! Tu n'y es pas du tout ! rigola Quillo. Depuis qu'elle est petite, Céleste s'entraîne à courir sur terre. Les humains appellent ça des « piedathons », ou quelque chose comme ça. Elle est très en forme et peut donc rivaliser avec n'importe quel garde sur le plan de l'endurance. La plupart n'apprécient pas de se faire battre par une femme, syrmain de surcroît. Garry juge que la seule présence de ma sœur l'aide à motiver ses troupes et je pense qu'elle apprécie elle-même beaucoup le défi. Elle ne s'est encore jamais fait battre à la course à obstacles combinée au sept kilomètres de nage !

Les deux amis continuèrent leur visite et s'arrêtèrent ensuite devant les champs de tir de tridents. Cette arme pouvait être contrôlée de deux façons : avec force et avec précision. La combinaison des deux était difficile et demandait une grande concentration. C'était le but principal de l'entraînement. Hosh venait d'ailleurs presque tous les matins s'entraîner aux côtés des soldats. Cela lui permettait de faire le vide dans son esprit et de ne plus penser aux dossiers du royaume pendant une petite heure.

Un groupe d'élite s'exerçait devant le roi et son gardien de l'horaire. Il s'agissait des soldats lénaciens les plus habiles au combat de trident. Alors qu'ils se trouvaient positionnés en plein centre d'une arène, des cibles jaillissaient du sol autour d'eux sans arrêt. Le but n'était pas de tout détruire : selon la couleur de la cible, ils devaient soit la faire exploser, la ralentir, la faire dévier de sa trajectoire ou encore l'encercler d'un rayon pour arrêter sa course pendant quinze secondes. Les deux amis restèrent quelques minutes à regarder le spectacle. La grande habileté dont faisaient preuve les soldats était impressionnante et digne d'éloges.

Le roi bifurqua ensuite vers les enclos d'élevage de son armée d'alliés naturels. Étant donné que l'armée comptait depuis peu une très grande variété d'animaux, ces enclos prenaient désormais beaucoup de place aux limites du quartier nord de la cité. Hosh et Quillo furent reçus par Nic, le joaillier qui avait accueilli Marguerite et Hosh dans sa maison, lors du tremblement de terre ayant eu lieu un peu plus de huit ans auparavant. Depuis un mois, les services du sirène avaient été réquisitionnés par le roi, comme ceux de tous les Lénaciens qui contrôlaient les prédateurs marins les plus puissants de l'armée.

– Bonjour, Majesté ! lança Nic gaiement. Vous êtes venu admirer mon nouveau groupe de murènes ? Elles sont fantastiques et obéissent à Souika, ma femme, au doigt et à l'œil.

De tous les poissons dont Hosh avait pris soin au centre aquarinaire depuis son enfance, la murène était celui qu'il aimait le moins. Il n'avait jamais eu d'affinités avec cette affreuse bête et apprendre que c'était l'allié naturel d'Alicia avait renforcé son sentiment de dégoût. Toutefois, c'était justement en raison de ce lien entre sa tante et le poisson qu'il devait porter une attention particulière aux murènes.

La remarque de Nic souleva une interrogation dans la tête du roi.

– Obéissent-elles plus à Souika qu'à toi ?

– Eh oui ! avoua le sirène. Je les contrôle aisément lorsque je suis seul, mais, si ma charmante épouse est dans les parages et qu'elle leur dit de tourner à droite, j'aurai beau leur hurler de tourner à gauche, elles lui obéiront comme si j'étais invisible !

– Et si quelqu'un d'autre leur donnait un troisième ordre totalement différent, comme celui de vous attaquer, ta femme et toi, que pourrait-il se produire ? Est-ce que les murènes se retourneraient contre vous ?

« Le dôme protège efficacement les habitants contre une attaque de murènes venant de l'océan, jugea Hosh, mais je n'ose imaginer le carnage si Alicia arrivait à contrôler de l'extérieur ses alliés qui se trouvent déjà dans la cité ! »

Nic sembla pris au dépourvu par la question de Hosh. Visiblement, il n'avait jamais pensé à une telle éventualité.

– En règle générale, le sirène domine son allié naturel et peut l'inciter à faire une multitude de choses, expliqua-t-il après un moment de réflexion. Par contre, l'allié naturel a une volonté propre et, devant deux ou trois ordres distincts, il choisira d'obéir à la personne qu'il connaît et qu'il affectionne le plus. C'est pour cette raison que Souika et moi prenons autant soin de nos petits protégés.

– Continuez votre bon travail, alors, l'encouragea Hosh. Mon petit doigt me dit que nous aurons besoin de vos compétences dans un proche avenir...

– Souhaitons que vous vous trompiez, Majesté !

– Oui, souhaitons-le...

L'enclos d'élevage suivant était celui des poissons-lunes. Ce poisson à l'air inoffensif mesurait près de deux mètres de long et pouvait engloutir de grandes quantités de méduses chaque jour. Hosh savait que l'apparence féroce d'un poisson ne signifiait pas nécessairement qu'il était le plus puissant.

« L'essentiel, disait sans cesse le capitaine de l'armée, c'est de toujours recruter les prédateurs les plus haut placés dans la chaîne alimentaire pour augmenter nos chances d'être plus forts que l'ennemi. »

À la fin de leur visite, Hosh se dirigea vers la Zone Rouge. Comme chaque fois qu'il s'en approchait, un profond malaise s'empara de lui. Ce que cette zone renfermait était caché aux yeux des Lénaciens par un mur opaque de bulles d'air, un peu comme le dôme de Lénacie et celui du manoir des chantevoix. Les poissons gardés dans cette zone n'étaient pas destinés à en exterminer d'autres, mais plutôt à attaquer... des sirènes ennemis.

Quillo et le roi traversèrent le mur de bulles d'un coup de queue, en resserrant les doigts sur leur trident. Devant l'enclos des barracudas de deux mètres de long, munis de mâchoires puissantes et de dents aussi coupantes qu'une lame de couteau, Quillo eut un mouvement de recul involontaire.

– On ne prépare pas une guerre avec des étoiles de mer et des poissons-anges, mon ami, lui rappela Hosh, tristement.

Par cette remarque, le roi tentait de se convaincre lui-même du bien-fondé de la Zone Rouge. Hosh était un pacifiste, un aquarinaire dans l'âme et il préférait soigner plutôt que blesser ou tuer. Les sacrifices de vies animales et sirènes qu'il aurait à faire si la guerre se déclenchait le minaient et étaient la source de plusieurs cauchemars. Malgré tout, le roi fit le tour des enclos de diodons, de rascasses volantes et de chauliodus, toutes des espèces marines dont le poison pouvait causer de grandes souffrances. Il s'arrêta un peu plus longuement devant le dernier enclos, qui hébergeait des raies torpilles. Celles-ci pouvaient lancer une décharge électrique de deux cent vingt volts !

Voyant que tous les poissons étaient bien traités, Hosh reprit le chemin du palais, l'esprit tourmenté comme après chacune de ses visites de la Zone Rouge.

– As-tu vérifié à l'usine de tissu si les bandes de guerre seront prêtes à temps ? demanda le jeune souverain à Quillo.

– Oui, ils en fabriquent en ce moment même. Ils estiment en avoir suffisamment pour toute la population d'ici deux semaines.

Prévoyant, Hosh avait commandé en grande quantité de larges bandes de tissu portées par les sirènes pendant la bataille et dont ils pourraient se servir pour entourer rapidement une plaie en attendant d'être soignés.

Le roi soupira. Ses dernières vacances lui semblèrent bien loin, tout à coup...

« Dire que je me suis déjà ennuyé dans ce château », pensa-t-il.

Son rêve d'un règne paisible et heureux au bras de Pascale se réaliserait-il un jour ?

« De quel côté viendra la prochaine tragédie ? » ne put-il s'empêcher de se demander.

* *
*

Le lendemain matin, Occare entra en catastrophe dans le bureau de Hosh.

– Dave m'a chargé de surveiller les transmissions de ses poissons-robots et je viens de recevoir l'information qu'une activité inhabituelle règne dans une partie de l'océan, annonça-t-elle en pointant un endroit précis sur une carte.

« Diou avait raison ! jubila Hosh. L'endroit dont parle Occare est à deux kilomètres de la frontière ! Exactement là où se trouvent les abysses... Passons à l'étape suivante : le Voltamiria ! »

* *
*

Au deuxième chant de la mi-journée, les souverains se présentèrent à la grande place pour l'inauguration officielle du sous-marin. Pour la première fois, l'appareil était exposé aux regards émerveillés des Lénaciens.

Mac fit taire les exclamations d'admiration de la foule afin que le roi puisse procéder. Solennellement, Hosh s'approcha du Voltamiria et posa une main au centre de la vitre principale du sous-marin de recherche. D'une voix forte, qui tremblait un peu sous le coup de l'émotion, il récita la formule de protection et de longue vie, comme le voulait la tradition lénacienne.

Né du travail des sirènes, vogue sans peur ;
Fais la fierté de tes créateurs.
En ce jour, nous te baptisons,
Dans l'océan, nous te guiderons.
Poséidon te protégera ;
Quand les mystères de la mer, tu exploreras.
Parcours donc le berceau de la vie ;
Découvre ses trésors et ses secrets enfouis.

En regardant la fierté sur le visage de ses citoyens, Hosh sentit qu'il avait pris la bonne décision en faisant construire le sous-marin. L'avenir seul pourrait confirmer cette impression !

Le roi invita ensuite les trois explorateurs qui monteraient à bord du Voltamiria à s'avancer et la population les acclama longuement. Après tout, ils s'apprêtaient à se lancer dans une entreprise risquée qui n'avait jamais été tentée auparavant ; celle de la découverte des abysses !

Les explorateurs embarquèrent dans l'appareil et, sur un gracieux signe de la main de leur reine, ils démarrèrent les moteurs. À peine quelques secondes plus tard, le sous-marin avait disparu au loin. Il ne devait revenir que trois semaines plus tard, temps estimé pour se rendre à la frontière des cités, explorer une partie des abysses, y prélever des échantillons et revenir.

Le roi saluait une dernière fois ses citoyens avant de regagner le palais lorsque Quillo surgit à ses côtés.

– Hosh, nous avons une urgence ! chuchota-t-il.

Le roi connaissait bien son ami et le ton de celui-ci ne prêtait pas à confusion. Il devait faire vite et discrètement. Hosh suivit son secrétaire jusqu'au véhicule royal qui l'attendait.

Arrivé au château, Quillo s'empressa de le conduire dans la salle aux écrevisses. Dès que la porte d'algues fut refermée, Dave sortit de derrière un meuble massif, où il s'était vraisemblablement caché en attendant le roi. Il était gravement blessé. De larges plaies recouvraient ses avant-bras, sa nageoire caudale était bandée et un énorme bleu partait de son épaule gauche jusqu'à son menton. Hosh blêmit et s'élança vers son ami.

– Que s'est-il passé ? s'enquit-il, l'air inquiet. Que fais-tu ici ?

Hosh savait que Dave devait accompagner le baleinobus, parti deux jours plus tôt vers la surface. Le jeune ingénieur voulait effectuer le voyage afin de finaliser les plans d'un second véhicule, encore mieux adapté aux besoins des syrmains.

– Le baleinobus n'est plus, annonça dramatiquement Dave. Le départ s'était pourtant bien déroulé, mais, au moment où le conducteur a voulu augmenter la puissance afin de passer sans encombre un courant fort, tout s'est déréglé. Il y a eu une première petite explosion à l'intérieur du mécanisme des roues à engrenage, puis les parois du véhicule se sont mises à trembler et une puissante explosion a arraché la cloison entre les moteurs et l'habitacle. Le côté droit de l'appareil a été percé par les pièces projetées. Les gardiens ont empoigné les siréneaux qui hurlaient et sont sortis en vitesse avant que l'engin sombre.

Depuis sa création, le baleinobus servait au transport des bébés syrmains qui devaient grandir sur terre. Aucun décès n'avait été enregistré en neuf années. Hosh savait que la présence d'un siréneau dans l'océan – sans la protection du baleinobus – attirait de nombreux prédateurs sensibles à leurs pleurs et à leur vulnérabilité. Les gardiens responsables de ces enfants étaient eux-mêmes des proies plus faciles.

– Y a-t-il eu des morts ? demanda le roi en redoutant la réponse.

– Aucun, le rassura Dave. Mais il s'en est fallu de peu ! Nous n'étions qu'à deux kilomètres de la colonie de méduses qui vit sur le territoire ouest. Si l'accident s'était produit là, aucun de nous n'aurait survécu. Lorsque tout s'est déréglé et que les autres sont sortis du baleinobus, je suis resté à l'intérieur quelques instants pour examiner les pièces qui ont été épargnées par les explosions et je peux t'assurer qu'il s'agit d'un sabotage.

– Qu'est-il advenu du chargement de tridents caché au fond de l'appareil pour armer les voiliers en cas de guerre ?

– Perdu aussi, répondit Dave sur un ton consterné.

– Donc, récapitula Quillo, si Lénacie est attaquée, les syrmains à la surface auront les mains vides et ils ne pourront pas nous venir en aide ?

Hosh passa une main nerveuse dans ses cheveux et hocha lentement la tête.

– Exactement. Et nous n'avons pas de second véhicule pour envoyer un autre chargement...

– Êtes-vous tous revenus à Lénacie à la nage ? demanda Quillo à Dave.

– Non. Nous n'étions plus qu'à quelques dizaines de kilomètres de la surface, où il était entendu que Pascal nous attendait sur son bateau pour amener les gardiens et leurs protégés sur terre. Nous avons donc choisi de remonter avec les siréneaux. Pascal nous a attendus, inquiet de notre retard. Aussitôt monté à bord du voilier, je lui ai expliqué que je devais repartir à Lénacie pour t'informer le plus rapidement possible de la perte du baleinobus. En voyant mon piteux état, il a insisté pour qu'un de ses marins m'accompagne.

Le cerveau de Hosh fonctionnait à plein régime. Le temps était compté... Dès que le retour de Dave ne serait plus un secret, le coupable, s'il était encore à Lénacie, fuirait. Dave avait d'ailleurs dû arriver aux mêmes conclusions, puisqu'il avait pris la précaution de se cacher pour attendre le roi.

– As-tu rencontré des Lénaciens en arrivant dans la cité ? s'informa le jeune souverain. Quelqu'un vous a-t-il vus revenir ?

– Je ne crois pas. Toutefois, notre arrivée a été enregistrée par le centre de la sécurité, alors tous ceux qui ont accès à cette information savent que je suis de retour.

Hosh réfléchissait au meilleur moyen de trouver le responsable de ce sabotage lorsque Dave lui confia qu'il savait comment coincer le coupable.

– Je ne vois que deux sirènes qui auraient pu saccager l'appareil, dit-il. Les deux mécaniciens du baleinobus.

Dave révéla à Hosh qu'à moins d'utiliser des gants – article peu fréquent à Lénacie –, la graisse de concombre de mer, utilisée pour huiler les mécanismes du baleinobus, laissait des taches sur les mains pendant près d'une semaine. Or, aucun réglage n'avait été fait officiellement sur le véhicule depuis deux semaines.

Les mécaniciens avaient eu pour seule mission de réparer un aileron défectueux et de veiller sur l'appareil durant le jour.

Hosh ne perdit pas une seconde et il convoqua les suspects. Ils semblèrent très surpris de voir Dave sans qu'on leur ait annoncé le retour du véhicule. L'ingénieur inspecta leurs mains, mais elles ne présentaient pas de taches de graisse.

– Le baleinobus a été saboté, leur annonça le roi d'une voix grave. Il a coulé et la vie de plusieurs Lénaciens a été mise en danger. Vous seuls aviez accès à l'appareil, alors je vous ordonne de me dévoiler le nom des autres sirènes qui auraient pu s'approcher de l'engin.

Un des mécaniciens pâlit. Au mieux, il perdait son emploi et, au pire, la vie. Les lois lénaciennes étaient très sévères.

– Il y a peut-être une autre personne qu'il faudrait interroger..., mentionna-t-il nerveusement. Il s'agit de mon cousin, Lamf. La veille du départ du baleinobus, la plus jeune de mes filles a été percutée sous mes yeux par un char tiré par un dauphin sans conducteur. J'ai dû l'accompagner d'urgence au centre de soins. Un heureux hasard a voulu que Lamf passe par là. Il a offert de me remplacer au pied levé et de veiller sur l'appareil.

– Et envoyer un poisson-messager au gardien de nuit pour qu'il te remplace, ça ne t'a pas traversé l'esprit ? lança son coéquipier sur un ton colérique.

– Dans l'énervement, non, je n'y ai pas pensé, bafouilla le sirène. Et puis, mon cousin est digne de confiance et j'estime qu'il pouvait veiller sur l'appareil un chant ou deux, se défendit-il.

– Laissez-moi en juger par moi-même, rétorqua Hosh, suspicieux.

* *
*

Ce n'est que dans la nuit qu'on amena Lamf au palais. On avait arrêté le sirène alors qu'il venait de franchir la barrière de protection. Grâce aux taches de graisse de concombre de mer qui couvraient ses paumes, la preuve fut rapidement faite qu'il était le coupable.

Un tatouage représentant une limace de mer au creux des reins du sirène éveilla d'autres soupçons dans l'esprit de Hosh.

« Et s'il était aussi responsable de l'invasion des limaces de mer ? » réfléchit-il.

Le roi décida de faire emprisonner le sirène sur-le-champ et il ordonna au chef de la sécurité de le faire avouer, peu importe les méthodes employées. Lamf craquerait inévitablement et il leur donnerait toutes les pièces manquantes du casse-tête.

- 6 -

Traîtrise et allégeance

Marguerite pénétra dans la salle aux dauphins en compagnie de son frère, pour la réunion hebdomadaire. Presque tous les membres du grand conseil étaient déjà là. Il ne manquait qu'Una, qui avait sans doute été retenue par le groupe de touristes du Grand Nord qu'elle devait rencontrer le matin même. La reine décida de commencer la réunion sans attendre davantage et tous prirent place autour de la grande table, suspendue au plafond par de solides cordes d'algues tressées. Marguerite laissa la parole à son jumeau.

– Comme vous le savez, commença le roi, nous avons arrêté un syrmain du nom de Lamf, la nuit dernière. Il était soupçonné d'avoir sciemment endommagé le baleinobus de façon à provoquer sa destruction. Nous devions donc valider cette théorie et, si elle se révélait véridique, savoir dans quel but il avait agi. Non seulement il a avoué ce méfait, mais, en plus, le chef des gardes m'a annoncé ce matin qu'il avait également confessé être le responsable de l'invasion des nudibranches, son allié naturel.

Tous approuvèrent d'un signe de tête, silencieux. Pourtant, Marguerite n'arrivait pas à les imiter ; quelque chose dans l'annonce de Hosh la mettait mal à l'aise.

– Je ne comprends pas, dit-elle. Ce sirène savait que nous avions la preuve de sa culpabilité et qu'il serait accusé de tentative de meurtre sur plusieurs Lénaciens. Pourquoi donc a-t-il aggravé son cas en avouant aussi être responsable de l'invasion ?

– En fait, nous l'avons un peu aidé à avouer, répondit Hal, le responsable de la sécurité.

– Soyez plus précis, je vous prie, demanda Marguerite, dont le cœur battait à tout rompre.

Était-on réellement en train de lui annoncer qu'on torturait des gens sous son règne ? Elle ne pouvait pas le croire ! Différents récits de tortures infligées sur terre lui revinrent en mémoire. Adolescente, elle avait eu à faire des recherches sur ce sujet dans le cadre d'un travail scolaire et elle en avait fait des cauchemars pendant des semaines !

Hosh sentit le malaise de sa jumelle et prit la parole à la place du garde.

– Marguerite, nous devions savoir la vérité coûte que coûte...

Silencieuse, la reine fixait toujours Hal en attente d'une réponse à sa question.

– Hum... Nous avons seulement utilisé un arracheur d'écailles, un obstructeur de branchies et quelques murènes, Majesté...

« Seulement ça ! » pensa Marguerite avec un haut-le-cœur.

Elle n'avait pas besoin d'explications supplémentaires sur les outils employés, car leurs noms étaient assez révélateurs. La déception et la honte se disputaient la première place dans la tête de la jeune femme. Son règne ne valait-il pas mieux que celui qu'auraient eu Jack et Jessie ?

Voyant que sa sœur ne reprenait pas la parole, le roi fit une recommandation au grand conseil.

– Je préconise la peine de mort comme châtiment, dès que nous saurons à la solde de qui Lamf travaillait.

– Membres du conseil, j'ajourne cette réunion, parvint à articuler la reine d'une voix aussi blanche que son visage. Veuillez nous laisser, mon frère et moi.

Légèrement surpris, tous descendirent de deux coups de queue dans une révérence, puis ils sortirent en silence.

– Tu viens d'ordonner de torturer un être vivant !!! cria Marguerite avec colère dès que la porte d'algues se fut refermée derrière madame de Bourgogne. Mais à quoi as-tu pensé ?

– Ce sirène a attenté à la vie de nos citoyens ! répondit Hosh aussitôt, sur la défensive. Tu aurais préféré qu'on le laisse en liberté et courir le risque qu'il récidive ? Comment expliquer ça aux parents des petits syrmains qui ont failli mourir ? En tant que souverains, nous avons des responsabilités...

– Oui, dont celle de punir, le coupa-t-elle. Certainement pas celle de torturer.

– On ne parle pas d'un innocent, Marguerite !

– Non, mais on parle quand même d'une personne à part entière. De quel droit fait-on souffrir un sirène pour avoir de simples aveux ? Et depuis quand peut-on faire confiance à la parole de quelqu'un qu'on torture ? Il dira tout ce que tu veux entendre pour que ses souffrances cessent !

– Tu te trompes. Ce n'est que de cette façon qu'un traître avouera la vérité.

« Non mais, quel crétin ! » ragea la reine intérieurement.

– Je te demande pardon ?! réagit son frère après avoir intercepté l'insulte dans les pensées de sa jumelle. Et puis, si TOI, tu es si intelligente que ça, dis-moi donc ce que tu suggères ?

– Je conçois que ce Lamf est sans doute dangereux pour les Lénaciens, répondit Marguerite, d'une voix un peu plus douce, mais je pense qu'en l'emprisonnant sous haute surveillan...

– Tu veux rire ! l'interrompit Hosh. Tu es en train de me dire qu'on va dépenser des perles pour le nourrir, l'habiller et le surveiller pendant des années ? Et puis quoi encore ? Veux-tu aussi qu'on lui installe un assur dans sa cellule pour plus de confort ? Redescends dans l'océan, veux-tu ?

C'était la première fois que Marguerite et Hosh se disputaient ainsi depuis le début de leur règne. Les principes éthiques de la reine, qui avait grandi dans un pays où la peine de mort avait été bannie, se confrontaient aux idées arrêtées de son frère. L'une prônait l'emprisonnement à vie tandis que l'autre jugeait ce concept complètement ridicule.

À bout d'arguments devant l'attitude fermée de Hosh, Marguerite lui tourna le dos. Elle nagea rageusement jusqu'à ses appartements, où elle trouva son époux en train de prendre son repas de la mi-journée dans leur salle à manger privée. Elle se réfugia dans ses bras, le cœur en miettes. Damien fit de son mieux pour la consoler sans lui donner tort ou raison. Marguerite lui en était reconnaissante. Elle n'avait pas besoin de ses conseils, mais seulement de son appui sincère.

Deux chants plus tard, Marguerite retourna à son bureau pour travailler, mais elle était incapable de se concentrer. La situation la rendait malheureuse et elle ne savait absolument pas comment y remédier. Par orgueil, elle résista à l'idée d'aller voir Hosh et elle bloqua toute possibilité d'échange télépathique.

Absorbée dans ses pensées, elle ne sentit pas les nouvelles vibrations dans la pièce.

– Hum, hum ! fit Hosh pour attirer l'attention de sa jumelle. Écoute... j'ai réfléchi à tout ce que tu m'as dit et, même si je ne suis pas d'accord avec ton opinion, je comprends ton point de vue. J'aimerais toutefois t'amener voir Lamf, car je crois que tu changeras peut-être d'idée lorsque tu lui auras parlé et que tu constateras qu'il n'éprouve aucun remords pour ses gestes horribles.

Marguerite en doutait fortement, mais elle consentit à accompagner son frère jusqu'au centre de la sécurité. Il s'agissait d'un complexe de plusieurs bâtiments. L'un d'eux était dédié à la surveillance de la barrière de protection, un second à tout ce qui touchait la sécurité dans la cité, un troisième avait une vocation interocéanique et le dernier servait de prison. C'est dans celui-là que les souverains pénétrèrent.

Ils longèrent quelques couloirs fortement éclairés par des poissons-lumière spéciaux. Les murs de roc étaient très lisses et les portes étaient faites d'algues orange.

« Bizarre, se dit Marguerite. Je n'ai jamais vu cette sorte d'algues auparavant. »

– Les portes orange sont toxiques, lui expliqua son frère, qui avait intercepté ses pensées. Si on y touche sans protection, des cloques d'eau se développent sur notre peau.

Brrrr... Marguerite colla davantage ses bras le long de son corps. Hosh la guida vers un couloir descendant. Au bout d'une dizaine de minutes de nage, ils arrivèrent devant une sorte d'aquarium vitré qui obstruait le passage. Derrière la vitre, Marguerite compta au moins douze poissons-chirurgiens. Elle savait que ce poisson avait la capacité de déployer une lame effilée de chaque côté de son corps.

D'un simple geste de la main, un garde fit s'éloigner les poissons vers le plafond.

« Ce doit être son allié naturel », déduisit la reine.

Comme au centre aquarinaire, il était possible de traverser l'aquarium par une ouverture dans le bas. Marguerite suivit Hosh en prenant garde de ne pas quitter des yeux les poissons-chirurgiens au-dessus d'elle.

De l'autre côté, elle vit quatre portes, toutes orange foncé. Un sirène armé d'un trident montait la garde devant l'une d'elles.

– On vient de détacher les mains du prisonnier pour lui permettre de manger, annonça-t-il aux souverains. Mais n'ayez crainte, sa nageoire caudale est entravée.

« Au moins, on le nourrit », pensa Marguerite.

– Nous aimerions lui parler seul à seuls, mentionna Hosh.

– Aucun problème, dit le garde. La chaîne qui le relie au sol est très courte, en plus d'être indestructible. Il vous suffit de ne pas l'approcher de trop près.

Le garde laissa les souverains entrer dans la cellule. La reine écarquilla les yeux d'étonnement devant l'état pitoyable du prisonnier. Il avait les paupières enflées et noircies, et le quart de ses écailles jonchaient le sol, laissant des plaies sanguinolentes sur toute la surface de sa queue de sirène. Des traces de morsures de murènes recouvraient aussi ses bras et sa poitrine. Étrangement, Lamf sourit à pleines dents lorsqu'il vit Marguerite et Hosh entrer. Il porta alors à sa bouche ce qui semblait une petite pastille et la croqua.

– Pour MA reine !!! cria-t-il avant d'être pris de violentes convulsions.

– Garde ! appela immédiatement Hosh.

Le garde s'élança vers le prisonnier, mais il était déjà trop tard. Le cœur de Lamf avait cessé de battre en quelques dizaines de secondes. Hosh retourna le corps du défunt et la reine fut horrifiée par ce qu'elle vit au bas de son dos... Le prisonnier avait percé sa peau à l'endroit précis où se trouvait son tatouage de limace de mer et il en avait extrait une capsule de poison. Il avait donc prévu depuis longtemps qu'il aurait peut-être à se donner la mort un jour...

« Mais pourquoi ? se demanda Marguerite. Les souffrances qu'il a endurées au cours des derniers chants sont-elles venues à bout de sa résistance ? Ou avait-il un autre crime encore plus grand à cacher que ceux qu'il avait déjà avoués ? »

À cette pensée, un frisson parcourut l'épine dorsale de la reine. Les dernières paroles de Lamf avaient été : pour « MA » reine... Il ne pouvait pas s'agir d'elle. Alors qui ? Jessie ?

– Viens, Marguerite, nous devons parler, dit Hosh d'un air grave.

Sa jumelle approuva d'un mouvement de la tête et ils se rendirent dans les appartements de la reine, à l'abri des oreilles indiscrètes. Cependant, à peine furent-ils assis dans un assur que Leila se présenta. Elle tenait entre ses mains une feuille d'algues aux couleurs de Lacatarina. Le roi se l'appropria, la déroula et la lut pendant que la première sirim de sa sœur quittait les lieux.

– Mobile nous annonce la naissance prochaine d'héritiers royaux, rapporta-t-il. Il demande à ce qu'ils soient inscrits sur la liste des futurs aspirants aux épreuves d'Alek.

– Quoi ?! s'étonna Marguerite.

La nouvelle de la grossesse de Jessie n'avait rien de surprenant en soi, mais la fille d'Una n'aurait jamais pensé que sa cousine oserait réclamer le trône de Lénacie pour ses enfants !

Marguerite appela immédiatement Céleste pour la charger de faire une recherche dans les archives de Lénacie en ce qui concernait la succession au trône.

– Même si Céleste ne trouve pas d'argument juridique pour refuser la demande, il est hors de question que nous acceptions ! la prévint Hosh. Il est évident à mes yeux que Jessie a l'intention de nuire à notre royaume par le biais de ses enfants à naître...

* *
*

– J'ai l'information demandée ! annonça Céleste d'une voix triomphante en entrant dans le bureau, un chant et demi plus tard. Vous serez heureux d'apprendre que vous avez le choix d'accéder ou non à la demande de Mobile. Étant donné que Jessie était une des aspirantes et qu'il n'y a pas quatre générations la séparant des anciens souverains, ses enfants pourraient théoriquement participer. Par contre, votre cousine est maintenant reine d'un royaume voisin et ses enfants sont donc, par tradition, les futurs souverains de Lacatarina. Afin d'éviter qu'un trop grand territoire ne soit contrôlé par une seule famille, la loi vous permet de refuser.

– La décision est prise, alors ! déclara Hosh.

Marguerite était du même avis que son jumeau. Aidé de Céleste, Hosh entreprit donc de rédiger une lettre de refus.

Sitôt terminée, la lettre fut envoyée et les trois amis entamèrent le repas du soir que la reine avait commandé aux cuisines. Ils venaient d'avaler leur dernière bouchée lorsque Damien entra dans le petit salon, accompagné de M. Brooke. Marguerite vit sur leur visage un air catastrophé. Que se passait-il encore ?

Damien prit la parole d'une voix blanche :

– J'ai une mauvaise nouvelle... Votre mère a disparu.

Pour la première fois de sa vie, Jessie avait torturé quelqu'un. Au départ, ce n'était pas son intention. Si sa tante Una avait répondu à ses questions, rien ne lui serait arrivé. Mais voilà ! La reine mère lui avait tenu tête dès son premier interrogatoire et elle avait mis Jessie dans une telle colère que celle-ci n'avait pu se retenir de la frapper au visage.

Par la suite, la reine de Lacatarina avait décidé d'imposer un jeûne à Una. La sensation de pouvoir qu'elle en avait retirée était grisante. Avoir le droit de vie ou de mort sur quelqu'un... quel sentiment incroyable !

« Bientôt, se dit Jessie, que la folie gagnait de plus en plus, ce sont des centaines de sirènes que je contrôlerai grâce au cristal ! »

- 7 -

Ultimatum

M. Brooke nageait en long et en large dans le bureau de Marguerite. Il attendait impatiemment que les équipes de recherche lancées par les souverains depuis près de deux jours envoient leur compte rendu... ou, mieux encore, qu'elles reviennent avec Una !

Quant à Marguerite, son angoisse était de plus en plus grande. Elle avait encore rêvé au suicide de Lamf, la nuit dernière. Les images tournaient en boucle dans sa tête et une pensée l'obsédait : était-ce l'enlèvement de la reine mère qu'il avait voulu cacher en se donnant la mort ?

* *
*

Marguerite roula le vingtième rouleau d'algues qu'une des équipes de recherche lui avait envoyé. Une troisième journée de fouilles intenses s'achevait et on n'avait découvert aucun indice sur l'endroit où pouvait se trouver Una. Les quartiers ouest et sud de la cité avaient été entièrement inspectés. Las d'attendre les bras croisés, M. Brooke, Hosh, Damien, Quillo et Leila étaient partis parcourir la cité.

Au service de Marguerite depuis quelques jours, Zhul montait la garde à l'entrée de ses appartements. Tant qu'on n'aurait pas découvert ce qui était arrivé à Una, les souverains ne pourraient plus donner un coup de nageoire sans que quelqu'un leur colle à la peau comme un rémora sur le dos d'un requin.

Un requinoi passa par la petite porte réservée aux poissons-messagers et s'approcha de la reine. Marguerite ne put s'empêcher de laisser l'espoir l'envahir pendant qu'elle détachait la missive. Toutefois, une vague d'appréhension lui coupa le souffle lorsqu'elle vit la signature de Jessie au bas du document. Le message était précédé d'un avertissement : Marguerite devait en prendre connaissance en privé.

– Difficile d'être plus seule que maintenant...

La lecture de la première partie du mot laissa la jeune femme anéantie. Sa cousine exigeait qu'elle lui remette le cristal noir de Langula en échange de la vie d'Una. Ainsi donc, c'était la reine de Lacatarina qui détenait sa mère. Comment Jessie avait-elle appris que la pierre était entre leurs mains ? Una avait-elle été torturée pour avouer ? Et, surtout, que voulait faire sa cousine avec ce puissant cristal ?

Au fil des années, Marguerite avait lu et relu à maintes reprises le journal personnel de la grande Éva et elle y avait appris que son aïeule avait voulu évaluer les conséquences de l'utilisation du cristal avant de décider de le cacher en lieu sûr. Ainsi, Éva avait découvert que plusieurs inventions créées grâce à la pierre avaient eu un impact positif sur la vie des sirènes – comme la barrière de protection et les Eskamotrènes – et sur celle des syrmains – comme la machine à écrire et le vaccin. D'autres inventions, toutefois, avaient été désastreuses : le revolver à barillet et l'anthrax, une maladie infectieuse, par exemple. À Lénacie, on avait dû interdire l'utilisation du « cuitomax », puisque l'appareil servant à cuire les aliments dans un compartiment sous vide avait explosé dans une cinquantaine de maisons, causant beaucoup de dommages.

Que Jessie cherche à s'approprier le cristal noir de Langula n'avait donc rien de rassurant !

Marguerite devait trouver une façon de sortir Una de ce pétrin sans céder au chantage.

Malheureusement, la seconde partie de la lettre compliquait grandement les choses...

Je t'accorde cinq jours pour me remettre ce que je désire. Après ce délai, au deuxième chant du soir, tu pourras dire adieu à ta mère.

Et si, par hasard, il te passait par l'esprit que ma tante, la « grande reine » Una, souhaiterait sa mort plutôt que de voir le cristal entre mes mains, je préfère te prévenir qu'une fois l'échéance atteinte, une bombe détruira tout un quartier lénacien et fera des centaines de victimes innocentes.

Dernière précision : tu ne devras être accompagnée que d'une seule personne lors de l'échange.

Bonne réflexion, cousine !

Jessie

Dès que Marguerite déposa la missive sur le coin de son bureau, le requinoi s'élança et la déchiqueta entre ses mâchoires. La reine leva un sourcil de surprise ; elle n'avait jamais vu ce comportement chez cette espèce de poisson.

« Pratique..., pensa-t-elle. Il ne reste aucune preuve de la lettre ni de son contenu... »

Marguerite se mit à nager en rond, réfléchissant à une solution. Cinq jours... c'était peu ! Elle repensa à la stratégie d'Éva pour cacher le cristal et à la mise en scène fantastique qu'elle avait élaborée pour berner tout le monde. Son ancêtre avait d'abord annoncé haut et fort à la population qu'elle détenait le cristal et, parallèlement, elle avait envoyé deux cents sirènes et syrmains en expédition loin de la cité. Ensuite, elle avait laissé croire que l'un d'eux était en possession de la pierre et qu'il la cacherait quelque part dans l'océan ou sur terre. Les chasseurs de trésors s'étaient donc tous éloignés de la cité sans savoir qu'ils s'éloignaient aussi de leur profit. C'était brillant ! Mais son véritable coup de génie avait été de ne pas confier le cristal à quelqu'un et de le cacher elle-même.

Marguerite avait le devoir d'être encore plus futée que son aïeule...

– Éva, je t'en prie, inspire-moi !!! soupira la jeune femme.

Un demi-chant plus tard, la reine nageait encore, en rejetant systématiquement toutes les idées qui lui traversaient l'esprit. Elle sentait le découragement la gagner, quand tout à coup...

– Oui ! J'ai trouvé ! s'écria-t-elle.

Persuadée d'avoir mis le doigt sur la faille du plan de Jessie, elle s'élança vers sa chambre. Aucun sirène vivant, à part Hosh, Una et elle, n'avait jamais vu le cristal. Personne ne pouvait donc jurer de son authenticité. Marguerite s'empara du journal d'Éva, où elle savait qu'une description du cristal était notée. Elle déchira la page en question.

– Je dois faire disparaître cette preuve, murmura-t-elle.

Accompagnée de Zhul, elle quitta le palais le plus discrètement possible. Marguerite se rendit au centre aquarinaire, où son frère lui avait confié qu'un requin-tigre était en convalescence après avoir avalé trois seaux en plastique jetés en mer par des humains. Elle entra dans l'aquarium du requin sans crainte. Son garde du corps eut une légère hésitation en voyant la taille du prédateur, mais il rejoignit la reine malgré tout, son trident en main. Marguerite tendit au requin la feuille d'algues du journal.

– Miam ! Regarde ce que j'ai là ! Allez ! Ne fais pas le difficile ! Toi et moi savons très bien que tu manges n'importe quoi.

Le requin s'approcha et happa le rouleau.

« Voilà une bonne chose de faite ! pensa Marguerite. Prochaine étape : la grotte de Neptus ! Je devrai d'abord me débarrasser de Zhul... »

Elle choisit la franchise, même si elle savait que son garde du corps n'accepterait pas facilement d'être relevé de ses fonctions.

– Où je vais, tu ne peux pas venir avec moi, lui annonça-t-elle de but en blanc.

– Majesté, vous savez très bien que mon rôle est de vous escorter partout. Si cela peut vous rassurer, je vous rappelle que j'ai juré de taire tous vos secrets. Vous pouvez avoir confiance en moi.

– Là n'est pas la question. Je ne serai pas autorisée à entrer si je suis accompagnée. Et je dois impérativement m'y rendre. Il en va de la vie de ma mère.

Sans lui laisser le temps de répondre, Marguerite s'enfuit à toute vitesse en appelant les dauphins de la cité pour qu'ils empêchent

Zhul de la suivre. Dès qu'elle fut certaine de l'avoir semé, elle se rendit dans la grotte du dragon des mers, en utilisant la bague bleue que lui avait donnée Una lorsque Marguerite était devenue reine de Lénacie. Elle était ainsi responsable à son tour du cristal noir de Langula, à l'instar de toutes les reines de Lénacie qui l'avaient précédée depuis la grande Éva.

Marguerite s'attendait à ce que la grotte soit vide, car Neptus avait l'habitude de suivre Aïsha dans ses déplacements et celle-ci se trouvait dans sa cité d'adoption, à quelques milliers de kilomètres de Lénacie. La présence du dragon avait en réalité peu d'importance, puisqu'elle pouvait avoir accès au cristal sans son aide.

Sa surprise fut grande en trouvant son ami couché sur le sol de la grotte. À son arrivée, le dragon des mers leva son long cou et approcha sa tête gris foncé de la reine. Il y avait longtemps que le féroce prédateur ne faisait plus peur à Marguerite. Elle passa une main entre les yeux de la bête et lui parla doucement dans le langage des dauphins. Au bout de plusieurs minutes, elle lui demanda l'accès au cristal noir de Langula.

* *
*

À son retour, Marguerite convoqua les membres du grand conseil, dans lequel elle admit exceptionnellement Damien et son beau-père, Brooke. Mort d'inquiétude, celui-ci était dans un état qui faisait peine à voir et la jeune femme se devait de le mettre au courant des derniers développements.

« Ce que je vais dire va te sembler incroyable, mais fais-moi confiance », demanda-t-elle mentalement à son jumeau avant de prendre la parole.

– J'ai de mauvaises nouvelles à vous annoncer. Je viens de recevoir la confirmation de ce que nous craignions : Una a été enlevée.

– Par qui ? rugit Brooke, en serrant les poings.

– Jessie. Elle a joint une demande de rançon à sa missive.

– Je paierai ce qu'il faudra ! assura Brooke avec empressement.

– Ce qu'elle demande n'est pas en votre possession, l'avertit Marguerite. Il s'agit du cristal noir de Langula et JE sais où il se trouve. Ce qui m'inquiète, ce sont les menaces de Jessie concernant une bombe qui explosera dans la cité en cas de refus de coopérer.

Un lourd silence suivit les paroles de la reine. Difficile de dire laquelle des deux nouvelles surprenait le plus les membres du grand conseil. Madame de Bourgogne se sentit faible, tout à coup, et maître Robin alla l'aider à s'asseoir dans un assur.

– Tu as le cristal, Marguerite ? répéta Brooke, les yeux pleins d'espoir.

– Oui, depuis un peu plus de sept ans.

– Le problème, avec Jessie, c'est qu'on ne peut pas lui faire confiance, marmonna Hosh entre ses dents. Rien ne nous assure que la bombe sera désamorcée lorsqu'elle aura le cristal.

Puis Hosh se tourna vers le chef des gardes et le responsable de la sécurité pour leur ordonner :

– Garry, Hal, vous allez tout mettre en œuvre pour trouver cet explosif ! Et soyez discrets ! La population ne doit pas être au courant. Je ne veux surtout pas avoir une panique générale à gérer !

Occare s'approcha de Marguerite et, d'une voix incertaine, elle lui demanda :

– Tu n'as pas vraiment l'intention de donner le cristal noir à Jessie, n'est-ce pas ?

Marguerite vit la même inquiétude se refléter sur tous les visages à l'exception de celui de son jumeau et de Brooke.

– Rassurez-vous, j'ai un plan, répondit-elle. Une seiche et un faux cristal sont déjà en contact avec la pierre, et ce, pour plusieurs chants encore. Ils emmagasinent le rayonnement de la pierre. Lorsque ce sera fait, je ferai avaler le faux cristal à la seiche. La luminosité qu'ils dégageront conjointement devrait être suffisante pour leurrer les scientifiques que Jessie aura à coup sûr mandés sur place. J'échangerai donc ce faux cristal contre la reine mère.

– Bon plan ! approuva Hosh.

– Et si, après l'échange, elle se rend compte du leurre ? questionna maître Robin.

– Avant de lui remettre la rançon, j'ai l'intention d'exiger de Jessie qu'elle me révèle l'emplacement de la bombe. Le but n'est pas seulement de sauver Mère, mais aussi la population lénacienne. En dernier recours, si mon stratagème ne fonctionne pas, le sirène qui m'accompagnera aura la responsabilité du véritable cristal et nous pourrons procéder à l'échange réel. Mais je suis persuadée que nous n'irons pas jusque-là.

Les discussions se poursuivirent pendant près d'un chant. Les différents scénarios furent pensés, calculés et soupesés. Au grand découragement de M. Brooke, la majorité du conseil vota en faveur de retarder l'échange le plus longtemps possible, afin de tenter d'abord de trouver la bombe, ce qui enlèverait un gros avantage de négociation à Jessie.

Une liste des sirènes susceptibles d'accompagner Marguerite fut aussi établie. On évalua les qualités de chacun et il fut convenu que Leila serait à ses côtés. La première sirim ne serait pas perçue comme une menace pour Jessie. Elle était réfléchie, débrouillarde et elle savait conserver son calme en toute occasion. C'est ce dont Marguerite aurait le plus besoin.

* *
*

Lorsque les derniers sirènes quittèrent la salle de réunion, Hosh s'approcha de sa jumelle et il la fixa droit dans les yeux.

– Sais-tu ce que tu fais ?

– Oui... Je te l'ai dit, tu dois me faire confiance !

Hosh approuva d'un hochement de tête.

– Le cristal, Marguerite... Comment Jessie a-t-elle su qu'on l'avait en notre possession ? Mère aurait-elle parlé ? demanda-t-il, inquiet. Je n'ose imaginer ce qu'ils lui ont fait...

La reine posa une main sur le bras de son frère pour l'apaiser, mais elle ne put s'empêcher de frissonner d'horreur elle-même, à cette idée. Surtout depuis qu'elle savait comment les sirènes menaient leurs interrogatoires...

– Mon plan fonctionnera ! lança-t-elle sur un ton décidé.

Hosh prit sa sœur dans ses bras et la serra de toutes ses forces.

– Je m'occuperai des équipes qui cherchent la bombe ; toi, concentre-toi sur ton objectif ! l'encouragea-t-il.

* *
*

Marguerite s'apprêtait à pénétrer dans ses appartements. Elle hésita un instant dans le couloir sachant que Damien devait l'attendre de nageoire ferme. Après tout, elle lui avait caché pendant des années qu'elle était en possession du cristal noir de Langula.

« Pourvu qu'il ne perçoive pas mon silence comme un manque de confiance », souhaita-t-elle.

En entrant, elle tomba face à face avec son époux, qui avait les bras croisés. Plutôt que de lui parler du cristal, il lui fit part de ses inquiétudes :

– Je comprends que tu veuilles sauver ta mère et tes sujets, mais je considère que cette mission est trop dangereuse pour deux femmes seules.

– Tu ne serais pas un peu surprotecteur, par hasard ? insinua-t-elle avec un sourire en coin.

– Je suis sérieux ! Tu te diriges droit dans la gueule du requin !

– Mon plan est réfléchi et je serai prudente, insista-t-elle. Et puis, tout mon grand conseil l'a approuvé.

Damien prit une grande goulée d'eau pour se calmer. Les mains sur les hanches, il reprit d'une voix posée :

– Mon Awata, en huit ans je ne me suis jamais immiscé dans ton travail, mais, cette fois, permets-moi d'exiger que tu envoies quelqu'un d'autre à ta place.

– C'est impossible, répondit Marguerite. Jessie le prendrait comme un affront. Imagine les conséquences que cela pourrait engendrer.

Les deux époux échangèrent un long regard silencieux. Marguerite pouvait voir briller la peur et la colère dans les yeux de son mari. À court d'arguments, Damien fit ce que la jeune femme n'aurait jamais cru possible : il lui tourna le dos et quitta la pièce sans un mot. La personne qui représentait son meilleur soutien venait de l'abandonner ! Toute l'assurance que la reine avait en son plan s'évanouit d'un coup !

* *
*

Malgré toutes les précautions prises pour que le secret de la présence du cristal à Lénacie ne soit pas ébruité, les souverains savaient que ce n'était qu'une question de temps avant que la nouvelle se propage. Lorsqu'on parlait d'un objet aussi puissant, l'imagination s'emballait et les conversations se multipliaient. Le danger qu'un des citoyens l'apprenne, veuille se l'approprier et disparaître ensuite sans laisser de traces était réel.

Le soir du quatrième jour, Marguerite, Hosh et Leila s'enfermèrent dans le bureau de la reine pour établir leur stratégie finale.

– Si le leurre fonctionne, expliquait la reine à sa première sirim, nous ferons un détour sur le chemin du retour. Nous irons au précipice, où ont lieu les cérémonies d'abîme, pour y lancer le véritable cristal. Maintenant que plusieurs personnes savent qu'il est en ma possession, il est trop risqué de le garder à Lénacie, à la portée de n'importe quel sirène sans scrupule.

– Afin de préserver ce lieu sacré d'éventuels pilleurs, nous allons inventer une histoire d'agression par des voleurs, que vous raconterez aux Lénaciens, ajouta Hosh. Après tout, ce n'est pas improbable : c'est même ce qui risque le plus d'arriver à ma sœur si elle garde la pierre ! Nous nous organiserons pour que le récit du larcin soit entendu par tous. Ainsi, lorsque Jessie s'apercevra qu'elle n'a pas le véritable cristal en sa possession, la nouvelle du vol aura eu le temps de circuler suffisamment pour qu'elle l'apprenne et qu'elle y croit.

Ils réglèrent les moindres détails de leur histoire, puis Marguerite et Leila les apprirent par cœur. Il était essentiel que leurs versions soient identiques. La reine voyait bien que Leila était aussi nerveuse qu'elle. Tant de choses pouvaient mal tourner et elles seraient toutes les deux sur la ligne de front ! Par contre, la sirim se montrait à la hauteur de sa mission et Marguerite avait confiance.

La reine quitta le bureau après avoir pris connaissance du dernier compte rendu du responsable de la sécurité. La bombe demeurait introuvable. Elle pénétra dans sa chambre en réprimant un bâillement. Elle n'avait presque pas fermé l'œil en quatre jours. Damien, pour sa part, était déjà endormi dans leur assur.

Après leur dispute, son mari était parti travailler comme d'habitude, malgré sa nuit blanche de la veille, passée à chercher Una. Marguerite avait été au bord des larmes toute la journée. Elle aimait Damien de tout son cœur et son silence lui faisait très mal. Le soir, il était rentré au palais et avait agi comme si de rien n'était. Depuis, il s'était tenu régulièrement informé du déroulement des recherches de la bombe, mais Marguerite sentait qu'il désapprouvait tout de même le rôle qu'elle s'apprêtait à tenir et c'est pour cette raison qu'elle ne se confiait plus à lui à ce sujet. La communication entre eux n'avait jamais été aussi superficielle, au grand désespoir de la jeune reine.

Marguerite décida de s'étendre aux côtés de Damien en lui tournant le dos, toujours contrariée et peinée par le manque de soutien de son mari. Doucement, celui-ci passa un bras autour de la taille de la jeune femme.

– Je t'aime, mon Awata, chuchota-t-il.

Les larmes inondèrent les yeux de la reine et sa colère contre Damien s'évanouit aussitôt.

– Je n'ai pas choisi le rôle de messager, souviens-toi, lui rappela-t-elle. Jessie me l'a imposé...

– Je sais, ma chérie. Pardonne-moi mon attitude. Savoir que tu nageras vers cette cinglée demain me rend fou d'inquiétude. Promets-moi seulement de ne pas courir de risques inutiles.

– Je te le promets, murmura Marguerite en espérant pouvoir tenir sa promesse.

*   *
*

Cette nuit-là, la reine dormit d'un sommeil profond et sans rêves. Heureusement, parce que le lendemain matin, l'angoisse l'assaillit dès son lever. Elle ne trouva même pas la force de déjeuner. Leila et elle révisèrent une dernière fois leur plan. Les chants qui suivirent passèrent à toute vitesse et Marguerite fut surprise lorsque Céleste vint lui annoncer que l'heure était venue.

– Tu vas y arriver, l'encouragea Hosh en entrant derrière la secrétaire.

– Je ne peux pas vraiment faire autrement, soupira Marguerite. Plusieurs vies sont en jeu...

Accompagnée de Leila, la reine se rendit près de la barrière de protection. Zhul la traversa afin de s'assurer que les requins, appelés par les souverains, l'attendaient. Marguerite n'était plus blanche, mais verte de peur. Même les écailles de sa queue, d'ordinaire mauves, avaient pris la couleur de celles de son jumeau.

Les deux jeunes femmes traversèrent à leur tour le dôme et rejoignirent le duo de grands blancs qui les accompagneraient jusqu'au lieu de l'échange. Marguerite tenait fermement la petite cage faite de racines de Java où se trouvaient le poisson et la fausse pierre lumineuse. La cage était recouverte d'un tissu gris dont l'intérieur était jaune avec des taches rouges. Leila, quant à elle, portait un sac à dos contenant l'autre pierre, soigneusement emballée dans plusieurs couches de peau de baleine afin que son rayonnement ne soit pas perceptible.

Elles nagèrent pendant plus de deux chants avant de percevoir la vibration d'un groupe de sirènes. Une vingtaine de gardes lacatariniens, armés de longs tridents, pointaient leurs armes sur elles et les requins. Un sirène aux cheveux et à la queue argent se détacha du groupe et nagea vers Marguerite.

La reine ne voyait Jessie nulle part.

« Elle n'est pas venue, déduisit-elle. Parfait, mon plan a encore plus de chances de fonctionner ! »

– Avez-vous apporté le colis ? demanda le lacatarinien.

– Oui, j'ai fait avaler la pierre à une seiche pour ne pas avoir à y toucher, répondit Marguerite en pointant la cage.

Marguerite avait parlé fort et elle vit le sirène jeter un coup d'œil nerveux en direction des gardes, restés plus loin. La reine comprit que ceux-ci, contrairement au sirène qui se tenait devant elle, ne savaient probablement pas ce qu'ils étaient venus chercher.

« Jessie a peut-être peur qu'ils veuillent s'emparer du trésor s'ils étaient au courant... », supposa la reine.

Ce détail pouvait représenter un atout majeur.

– Je vous prie de sortir la pierre de la seiche et de la glisser dans ce boîtier afin que je puisse confirmer qu'il s'agit bien de la vraie.

– Il est hors de question que je la touche à mains nues ! Vous n'êtes pas sans connaître le funeste sort de ceux qui le font ! Si vous la voulez, appelez donc un de vos sirènes et faites-lui faire le sale boulot !

Le Lacatarinien ne fit aucun geste en direction des gardes. Marguerite avait vu juste. Les autres n'étaient pas dans le secret !

Elle baissa donc la voix pour ne pas augmenter le stress de son vis-à-vis.

– Le rayonnement que dégage la seiche devrait être suffisant pour vous convaincre. Le cristal noir de Langula permet aussi à son propriétaire de changer d'apparence. Observez bien la peau de l'animal et vous remarquerez qu'elle a cette particularité.

Marguerite retira le tissu qui couvrait la cage en prenant bien soin de ne pas montrer au Lacatarinien l'intérieur de l'étoffe, qui avait une couleur différente. La seiche, comme un caméléon, avait pris l'apparence exacte de son environnement. L'animal apparut donc de couleur jaune, parsemée de taches rouges.

– J'aimerais la voir de plus près, demanda le Lacatarinien.

Aussitôt, la souveraine leva la cage à la hauteur des yeux du sirène. Ce dernier constata qu'une lueur, qui n'avait rien de naturel, irradiait de la peau de la bête.

« Parfait ! » pensa Marguerite, qui se félicita d'avoir mis la seiche en contact avec le cristal de Langula.

– Je suis convaincu, lança l'expert. Recouvrez la cage, je vous prie.

Marguerite le fit promptement puis elle la cacha derrière son dos.

– J'ai rempli une partie de ma mission, annonça-t-elle. Je vous ai apporté ce que Jessie a demandé. Avant l'échange, je veux la preuve que ma mère est avec vous et qu'elle est en vie. Je tiens aussi à savoir où la bombe est cachée.

Le sirène à la queue argentée fit un geste de la main et Marguerite put voir les gardes derrière lui se diviser afin de laisser passer

Una, soutenue par deux Lacatariniens. Elle était dans un état lamentable. Elle était amaigrie, et de larges marques rouges recouvraient ses bras et ses épaules. Sa nageoire caudale était fendue à deux endroits et les doigts de sa main gauche étaient mauves. La tête affaissée sur la poitrine, elle n'avait même plus la force de garder les yeux ouverts.

« Oh mon Dieu ! » pensa la reine en retenant ses larmes à la vue des blessures de sa mère.

– Donnez-moi la pierre, maintenant, exigea le sirène.

– Où est la bombe ?

– Ne jouez pas à ce petit jeu. L'entente était : le cristal contre votre mère.

– Il n'y a jamais eu d'entente, énonça Marguerite d'une voix ferme malgré son pouls qui battait à tout rompre. On m'a posé un ultimatum et c'est l'heure des négociations. D'un simple geste, je peux lancer cette cage à mes requins et vous vous occuperez d'aller la récupérer dans leur estomac.

– Et, d'un simple mot, je peux ordonner la mort de centaines de Lénaciens...

– Voyons alors qui a le plus à perdre ! menaça Marguerite en balançant la cage d'avant en arrière, comme si elle s'apprêtait à la lancer.

- 8 -

Digne de la grande Éva

Le sirène responsable de l'échange observa attentivement la reine lénacienne, comme pour chercher le doute dans son regard. Malheureusement pour lui, il n'y lut qu'une grande détermination.

Marguerite devina qu'elle avait gagné et qu'il lui révélerait l'emplacement de la bombe.

– Dans le quartier Joy, commença le Lacatarinien. Dans la rue Usi, cinquième demeure à droite.

– Comment la désamorce-t-on ?

– Retirez simplement le détonateur ; le petit cylindre gris sur le dessus. Vous ne pouvez pas vous tromper.

– Attendez-moi ici un moment, ordonna la reine.

La cage en main, Marguerite s'approcha d'un des requins et posa une main sur son flanc. Elle avait appelé les grands blancs pour assurer sa protection, mais aussi pour communiquer rapidement avec son jumeau malgré la distance. Par télépathie, elle transmit l'information sur l'emplacement de la bombe à Hosh et revint vers Leila.

– Et maintenant ? s'impatienta le sirène à la queue argentée.

– On attend, répondit la jeune femme sans plus d'explications.

La reine ne put s'empêcher de jeter des coups d'œil fréquents vers Una, qui semblait s'affaiblir davantage à mesure que le temps passait.

* *
*

Il fallut près d'un quart de chant pour que Hosh confirme à sa jumelle que la bombe était désamorcée. L'échange pouvait finalement avoir lieu.

– C'est bon, dit Marguerite en brisant le silence. Amenez-moi ma mère et je vous remets la cage.

En quelques minutes, tout fut terminé et les Lacatariniens reprirent leur route sans un regard vers les trois sirènes qu'ils laissaient derrière eux.

Marguerite serra sa mère dans ses bras.

– Ma fille, qu'as-tu fait ? marmonna Una du bout des lèvres. C'est de la folie... Le cristal devait rester caché à Lénacie...

– Ne vous inquiétez pas de cela, Mère. L'important, c'est que vous soyez saine et sauve, maintenant.

– Majesté, partons ! Je vous en prie ! lança Leila, dont les nerfs semblaient sur le point de lâcher.

La sirim avait raison d'être nerveuse. Marguerite savait que le rayonnement de la seiche durerait environ quatre chants, soit l'équivalent de huit heures, car elle l'avait testé la veille. Il y avait déjà trois chants et demi que l'animal avait avalé la pierre... À tout moment, si le Lacatarinien à la queue argentée enlevait la couverture recouvrant la cage, il se rendrait compte qu'il avait été berné. Leur vie ne tiendrait alors plus qu'à un fil.

– Leila, donne-moi le sac à dos et allons-y, décida la reine en tendant la main pour récupérer le sac contenant le cristal noir et ainsi enlever un stress énorme à sa sirim.

En chemin, Marguerite accepta la suggestion de Leila lorsque celle-ci proposa de remonter un peu vers la surface pour brouiller les pistes. Bien que le désir de la reine ait été de revenir le plus rapidement possible au château afin de soigner Una, elle n'oubliait pas la suite du plan. Si elles étaient suivies, les trois femmes ne pourraient pas se rendre au précipice pour se débarrasser du véritable cristal. Or, il était essentiel qu'elles le fassent !

Après une longue ascension en diagonale, Marguerite décida qu'il était temps de redescendre vers la fosse. Soudain, elle vit des silhouettes de poissons apparaître au loin et se diriger droit vers eux. Des orques ! Ils nageaient à une telle vitesse qu'en moins de deux, les requins qui accompagnaient la reine furent attaqués. Au nombre de quatre, les orques mesuraient entre six et sept mètres et devaient peser près de cinq tonnes.

D'un seul coup de tête, ils propulsèrent les requins sur une dizaine de mètres, sans difficulté. Leurs adversaires affaiblis, les orques en profitèrent pour donner de farouches coups de mâchoire dans leurs flancs. Marguerite était abasourdie. Elle qui croyait que les requins blancs étaient les plus puissants prédateurs de l'océan, elle avait la preuve que ce n'était pas le cas !

La jeune femme savait toutefois que les orques faisaient partie de la famille des dauphins et elle essaya d'entrer en communication avec eux. Impossible !

« Quelqu'un d'autre les contrôle..., pensa Marguerite. C'est exactement ce qui s'est passé avec Hosh, à Lacatarina pendant le deuxième été d'épreuves, lorsque nous avions essayé de communiquer avec le grand blanc et qu'un sirène était déjà en contact avec lui. »

Étrangement, Leila nageait sur place aux côtés de Marguerite, sans montrer le moindre signe de nervosité devant le danger. Lorsque les orques en eurent fini avec les grands blancs et se tournèrent vers les deux jeunes femmes, la sirim tendit la main vers sa reine.

– Donne-moi le cristal, dit-elle en tutoyant sans gêne Marguerite.

Stupéfaite, la souveraine ne bougea pas d'une écaille. Peut-être avait-elle mal compris ? Devant l'air décidé de Leila et sa main insistante, la reine se sentit profondément trahie. Les larmes aux yeux, elle remit le sac à celle qu'elle croyait son amie depuis toutes ces années.

– Je ne comprends pas pourquoi tu fais cela, murmura Marguerite.

– On voit bien que tu n'as jamais été au service de quelqu'un tous les jours de ta vie ! J'en ai assez. Ce cristal va me donner le pouvoir et la richesse !

– Dès qu'on saura que tu as la pierre, tu seras poursuivie par tous les chasseurs de trésors des océans. Une femme seule contre tous ces sirènes armés jusqu'aux dents n'a pas beaucoup de chances de s'en tirer...

– Tu as dit toi-même que le cristal permettait de changer d'apparence. Je saurai être prudente. Et puis, j'ai seulement l'intention de me servir des pouvoirs de la pierre le temps d'acquérir une fortune et, ensuite, je m'en débarrasserai.

– Je croyais que nous étions amies ! ne put s'empêcher de dire Marguerite.

– J'ai dû faire un choix... et la richesse l'a emporté sur l'amitié !

Sa première sirim s'éloigna avec ses alliés, les orques, à ses côtés.

– C'est mieux ainsi, fit Una devant l'air accablé de sa fille. Maintenant que, par ma faute, tu as dû sortir le cristal de sa cachette, il était un danger pour ta vie.

* *
*

Marguerite et Una reprirent leur nage vers Lénacie. Elles en étaient si loin encore ! La jeune reine n'avait pas d'arme pour se défendre et elle devait soutenir sa mère blessée, qui peinait à avancer. Le lourd silence qui les entourait ne lui disait rien qui vaille. Après toutes ses années en mer, Marguerite connaissait bien les nombreux dangers qui pouvaient survenir sans avertissement.

Elle appela des dauphins à sa rescousse et attendit... bien inutilement. Aussi loin des côtes, les chances qu'un delphinidé lui réponde étaient presque nulles.

« Hosh ! » cria-t-elle mentalement.

Elle ne reçut aucune réponse de ce côté-là non plus. À cette distance et sans l'intermédiaire d'un requin, cela n'avait rien de surprenant.

La peur au ventre, elle continua donc sa route. La mère et la fille nageaient depuis une quinzaine de minutes lorsque Una perdit conscience. Marguerite paniqua et secoua les épaules de sa mère.

– Maman ! Réveille-toi, je t'en prie !

Les paupières d'Una restèrent closes.

« Faites que ce soit seulement la fatigue ! » pria la jeune femme.

Les nombreuses ecchymoses qui recouvraient le corps de la reine mère et ses branchies qui s'ouvraient difficilement laissaient cependant craindre un problème plus grave.

« Je dois continuer... Arriver à Lénacie est le seul moyen de la sauver. »

Quelques coups de queue plus tard, son cœur fit un nouveau plongeon lorsqu'elle vit apparaître au loin une famille de trois des plus grands mammifères du monde. Aux côtés des baleines bleues, Marguerite reconnut la vibration particulière du syrmain pour qui son cœur battait depuis plusieurs années : Damien !

Arrivé près d'elle, il prit délicatement Una par la taille et serra très fort son épouse de son bras libre. Mi-soulagé mi-inquiet, il s'exclama :

– Mon Awata ! Ne perdons pas de temps ! Mes alliés vont nous aider à revenir à Lénacie sains et saufs.

Sous les recommandations de Damien, Marguerite retira aussitôt du sac à dos de son mari un assur d'urgence. Ils y installèrent Una de façon à ce qu'elle se retrouve dans une sorte de cocon. Puis, comme s'il s'agissait d'un nouveau sac à dos, Damien enfila autour de ses larges épaules deux ganses de la civière ainsi créée, afin que la reine mère flotte derrière lui. Accrochés à une des baleines, Marguerite et lui reprirent la route vers la cité.

Damien avoua à sa femme qu'avec Zhul, ils avaient pris la décision de la suivre de loin, car ils avaient trop peur pour sa vie.

– Lors de l'échange, nous sommes restés suffisamment éloignés pour que le sens des vibrations des Lacatariniens ne nous repère pas. Après vous avoir vues repartir avec Una, nous avons décidé de surveiller les gardes du Sud afin de nous assurer qu'ils quittaient les lieux. Comme nous l'avions prévu, trois d'entre eux se sont discrètement laissé distancer par le reste du groupe et ils ont fini par faire demi-tour pour vous prendre en filature. Zhul et moi les avons pris en chasse à notre tour. Tu aurais dû voir ça ! Zhul est incroyable avec un trident ! Il a réussi à les désarmer l'un après l'autre à la vitesse d'un marlin. Je les ai attachés et il les a interrogés. Ils ont avoué que leur mission était de t'empêcher définitivement de revenir à Lénacie. Ce n'est qu'une fois ces sirènes maîtrisés que j'ai pu vous rejoindre, ta mère et toi. Je suis arrivé à temps, on dirait...

* *
*

De retour au palais, Marguerite avait passé toute la nuit près de l'assur d'Una, en compagnie de son jumeau. Leur mère dormait sous l'effet de puissants sédatifs, fabriqués notamment à base de fleurs de lotus.

– Qui l'aurait cru..., soupira le roi en repensant à la trahison de Leila, que sa sœur lui avait racontée quelques chants plus tôt.

– Moi qui avais confiance en elle ! Si tu savais à quel point je me sens trahie et humiliée !

– La soif de pouvoir peut changer quelqu'un, dit Hosh avec justesse. Crois-tu qu'à l'heure qu'il est, elle s'est rendu compte qu'elle n'avait pas le vrai cristal ?

– Oh oui ! Il y a longtemps que le deuxième faux cristal ne brille plus !

Malgré le kidnapping de sa mère et la menace de l'explosion d'une bombe, jamais Marguerite n'aurait pris le risque de sortir le véritable cristal de la grotte. La reine était consciente que, si son leurre n'avait pas fonctionné, cette décision aurait pu causer la mort d'Una ainsi que d'une centaine de Lénaciens, mais remettre le cristal à sa diabolique cousine aurait été bien pire : la population de tous les océans aurait été en danger ! À l'instar de la reine Éva, Marguerite avait donc imaginé un stratagème complexe et efficace : une double illusion.

– Leila n'a peut-être pas le cristal, mais tous les chasseurs de trésors sont désormais persuadés du contraire. Lorsqu'elle s'apercevra qu'elle a été bernée, il sera probablement trop tard et quelqu'un sera déjà sur le point d'attenter à sa vie par convoitise...

– Tu as été superbe, ma chère sœur ! Digne de la grande Éva ! Le cristal est toujours en sécurité.

– Et même Leila ne pourra jamais être certaine que j'ai conservé la pierre, renchérit

Marguerite. Elle croira que j'ai mis mon plan à exécution et que je l'ai lancée dans la fosse aux morts...

* *
*

Quelques jours plus tard, Damien pénétra dans la bibliothèque du troisième étage où Marguerite et Hosh travaillaient. Il tenait une missive aux couleurs de Lacatarina. Un requinoi pour la reine arriva au même moment. Marguerite choisit de commencer par le requinoi.

– Le message vient de Diou, leur révéla-t-elle.

Les choses continuent à changer rapidement, ici. Je vous remercie de m'avoir fait voir une autre facette de la réalité. Je vous assure de mon amitié et de mon soutien.

M. est de plus en plus malade depuis quelques semaines. Son état se détériore et cela m'inquiète beaucoup. La seule fois où j'ai vu de tels symptômes, c'était pour un certain S. et cela remonte à plus de cinq ans.

Son épouse s'occupe de tout...

D.

– Comprenez-vous la même chose que moi ? demanda Hosh en fronçant les sourcils.

– Oui... Mobile est malade, répondit Marguerite. Et il a la même maladie que son père, le roi Simon, mort il y a cinq ans.

– Son épouse s'occupe de tout, relut Hosh. Ça, c'est inquiétant !

– Voyons si nous en saurons plus avec la deuxième lettre, fit la reine en pointant le rouleau d'algues lacatarinien que Damien tenait entre ses mains.

Elle lut à voix haute la lettre rédigée par le conseiller de Mobile en son nom. Il était question de la requête faite à propos des jumeaux dont devait accoucher Jessie. Le refus de Marguerite et Hosh avait tant bouleversé la reine de Lacatarina qu'elle avait fait une fausse couche. Le roi Mobile demandait une partie du territoire de Lénacie en réparation.

– Notre cousine a très bien joué ses cartes, avoua Hosh. Elle n'a sans doute jamais été réellement enceinte. Dès que nous refuserons de leur céder notre territoire, je pense que nous pourrons nous déclarer officiellement en guerre.

Jessie était entrée dans une rage meurtrière lorsqu'elle avait compris que ses cousins l'avaient bernée avec un faux cristal. Rapidement, ses informateurs lui avaient rapporté que la reine de Lénacie avait été attaquée en mer par sa sirim, qui avait disparu avec le précieux objet. Jessie avait envoyé un groupe de sirènes aux trousses de celle qui possédait désormais la précieuse pierre, mais cela n'avait donné aucun résultat jusqu'à maintenant.

Elle s'adressa sans ménagement au sirène qui attendait ses ordres.

– Je pars vers Lénacie dans une dizaine de jours tout au plus. Organise-toi pour faire sortir mon cher cousin de son repaire et pour me l'amener. Ensuite, tu te chargeras de mettre sa jumelle hors d'état de nuire. Ils vont payer pour cette humiliation ! Une

fois Marguerite et Hosh morts, les Lénaciens seront sans souverains, désorganisés et laissés à eux-mêmes. Il me sera facile de prendre le contrôle de la cité !

* *
*

Une semaine plus tard, tout était prêt.

Dans un chant, Jessie quitterait Lacatarina. Jamais Hosh et Marguerite ne pourraient voir venir l'attaque ni l'ampleur des effectifs qu'elle avait mis tant d'années à bâtir.

– Avec une armée comme celle-là, ma fille, tu pourras foncer sur Lénacie et l'anéantir, lui avoua Alicia en observant les troupes lacatariniennes.

– Mon but n'est pas d'hériter d'un royaume en ruine, Mère. Je préfère procéder par étapes afin d'épargner la population, les édifices et les ressources de la cité. Avec de la chance, tout ira très vite. Sinon... tant pis ! Je serai moins clémente. Vous savez bien que je poursuivrai jusqu'au bout notre but d'obtenir le royaume de mes ancêtres, peu importe les pertes que la bataille engendrera.

– Ton mari est-il encore vivant ? demanda Alicia.

– Aux dernières nouvelles, ses branchies filtraient toujours l'eau. De mémoire, ça n'avait pas été aussi long avec son père...

– Il est plus jeune et donc plus fort, ne l'oublie pas.

– Sans doute... Peu importe, ce n'est qu'une question de chants et je pars l'esprit tranquille. À mon retour, je serai reine de deux royaumes ! Notre exil aura été positif, finalement.

- 9 -

Énigme

Hosh se tenait au milieu de la foule venue accueillir le Voltamiria, de retour de son expédition dans les abysses. Des gardes, deux conseillers ainsi que Quillo étaient à ses côtés. Les dernières nouvelles transmises étaient bonnes et les explorateurs avaient hâte de partager leurs découvertes. Toutefois, le sous-marin de recherche était parti depuis plus de quarante jours, soit le double du temps prévu, et Hosh était impatient de connaître les raisons de ce retard.

Pendant que le roi regardait le sous-marin exécuter les premières manœuvres d'approche, sous les chants enthousiastes des Lénaciens présents, Quillo lui lança :

– Dommage que Marguerite manque ça ! C'est un moment historique pour notre cité !

Les paroles de son ami dirigèrent les pensées de Hosh vers sa sœur. Elle avait encore perdu conscience, ce matin. Depuis la trahison de Leila, cela se répétait un peu trop souvent pour être normal. Peut-être Hosh devrait-il contacter le spécialiste du Grand Nord dont maître Robin lui avait parlé avant son départ urgent pour Lacatarina ?

Une vingtaine de jours plus tôt, après la réception de la lettre de Diou, Marguerite et Hosh avaient demandé à leur conseiller de se rendre au chevet de Mobile. Du vivant du roi Simon, maître Robin avait toujours été très bien reçu chez les souverains du Sud et Mobile lui réservait le même accueil depuis la mort de son père. Le vieux maître était donc le mieux placé pour constater de lui-même l'état de santé du souverain de Lacatarina. Louis, le guérisseur, l'avait accompagné afin de soigner le roi si besoin était. Bien entendu, les deux sirènes s'y rendaient officiellement pour affaires et devaient agir comme s'ils n'étaient pas au courant du conflit entre les deux cités, pas plus que de l'étrange maladie qui affectait Mobile.

Hosh en vint à songer au retard de la dernière équipe de soldats, qui rentrait tout juste d'une tournée de surveillance de trois jours sur le territoire lénacien.

Lorsqu'il avait demandé des explications au responsable de l'expédition, celui-ci avait répondu :

– Nous avons eu de la difficulté à retrouver notre chemin jusqu'à Lénacie, car le chant de repérage était régulièrement interrompu.

Or, ce signal pouvait habituellement s'entendre sur des kilomètres. Ce n'était vraiment pas le bon moment pour que le chant de repérage soit défectueux...

– Quillo ! Peux-tu, s'il te plaît, noter à mon agenda de passer voir les chantevoix, ordonna le roi, qui devait tirer ça au clair.

Au même moment, la porte du sous-marin s'ouvrit sur l'équipage du Voltamiria. Une grande fierté envahit Hosh et il espérait que les résultats seraient à la hauteur de ses attentes. Depuis longtemps, ce projet tenait à cœur au roi et de grandes sommes de perles avaient été dépensées pour qu'il voie le jour. Avec la guerre qui menaçait d'éclater, le projet avait pris une importance toute particulière.

Les explorateurs nagèrent jusqu'à leur souverain pour lui présenter leurs hommages. Ils furent ensuite escortés jusqu'au palais, pendant que deux aquarinaires et trois chercheurs de Lénacie détachaient les larges paniers d'échantillons suspendus au véhicule. Des spécimens d'une flore et d'une faune inconnues des Lénaciens prirent ainsi la direction des centres de recherches, sous les yeux ébahis des citoyens qui se pressaient pour voir ces curiosités.

* *
*

Hosh accueillit les explorateurs dans son bureau pour un entretien privé.

– Soyez les bienvenus, sirènes ! Votre retard m'a inquiété et votre arrivée sains et saufs me soulage grandement.

– Merci, Majesté ! débuta le chef de l'expédition. Ce fut une expérience absolument extraordinaire ! Nous vous rapportons d'ailleurs des données et des spécimens vivants qui feront de vous le roi le plus avant-gardiste et aventurier de tous les temps !

– Je n'ai jamais eu cette prétention ! rit Hosh, amusé par cette idée saugrenue.

Puis, sur un ton beaucoup plus sérieux, il s'informa de la mission secrète qu'il avait confiée à son équipe, juste avant leur départ.

– J'ai le regret de vous annoncer que nous n'avons rien détecté de suspect dans les abysses.

Pas de groupes de sirènes ennemis ni de lieu d'entraînement militaire.

Bien qu'il s'y soit attendu un peu, Hosh était extrêmement déçu de cette réponse. Il aurait aimé découvrir ce que Jessie préparait et avoir une longueur d'avance sur elle. Malgré cela, le roi avait hâte d'entendre parler des découvertes qui pourraient servir à son armée d'alliés naturels.

– Parmi vos trouvailles, reprit-il, consciencieux, y en a-t-il une qui vous semble plus pertinente et dont je devrais être informé en premier ?

Hosh vit une lueur d'excitation passer dans le regard des sirènes en face de lui. Le chef de l'expédition reprit la parole :

– De toutes les découvertes que nous avons faites, la plus phénoménale est sans contredit celle d'une bête défiant l'imagination !

L'image de Neptus s'imposa au roi, mais il ne laissa rien paraître de son appréhension.

– Il s'agit d'un requin gigantesque, de près de vingt mètres de long ! continua le plus jeune des chercheurs, impatient de faire part à Hosh de leur découverte. Je n'ai pas honte d'avouer qu'après l'avoir aperçu, j'en ai tremblé de peur pendant deux jours. Il aurait pu facilement détruire le sous-marin d'un seul coup de mâchoire...

– Pour preuve, poursuivit le chef de l'expédition, nous l'avons vu attaquer un cachalot géant et le mettre à mort en quelques secondes seulement. C'est en voulant nous éloigner au plus vite et éviter ce monstre que nous avons pris du retard sur l'horaire prévu.

– Un requin, vous dites ?

– Exactement, Majesté. Comme on n'en a jamais vu de mémoire de sirène ! Nous l'avons rencontré à plus de deux mille trois cents kilomètres de Lénacie, dans les abysses, au centre de l'océan Léna.

– Nous avons indiqué l'emplacement de la fosse où il nageait sur cette carte, précisa son collègue en tendant un gros rouleau d'algues à Hosh.

Le roi remercia les chercheurs pour leur travail et il leur ordonna de garder secrète cette étonnante découverte pour l'instant.

Hosh se rendit ensuite dans la petite bibliothèque au troisième étage du palais. Après plusieurs minutes de recherche, il trouva ce qu'il cherchait : une histoire qui s'était transmise oralement de génération en génération, jusqu'à ce qu'un sirène la note. Adolescent, Hosh avait lu ce récit, qui avait longtemps alimenté ses rêves. Le roi déroula le rouleau d'algues et commença sa lecture.

Les humains l'appellent « mégalodon » et ils pensent à tort qu'il est disparu des océans depuis des millions d'années. Cet extraordinaire requin mesurant plus de quinze mètres et pesant plus de vingt tonnes est le plus grand prédateur que la planète ait jamais eu, que ce soit sur terre ou en mer.

Ses dents de vingt centimètres se dressent dans une gueule énorme qui peut engloutir une quinzaine de sirènes d'un coup de mâchoire.

Aussi surprenant que cela puisse être, ce requin peut détecter une goutte de sang ou d'urine à plus de soixante-dix kilomètres. Il entend des fréquences si basses qu'il peut percevoir un simple bruit d'éclaboussures à la surface de l'eau. Il a également la capacité de sentir les vibrations lointaines d'un poisson et d'en connaître avec exactitude la taille.

Hosh laissa le rouleau s'enrouler sur lui-même, toujours aussi impressionné par la bête préhistorique. Les explorateurs avaient-ils vraiment rencontré un des descendants du célèbre mégalodon ? Si oui, le roi n'osait pas imaginer tout ce que cette formidable trouvaille impliquait...

* *
*

Le lendemain du retour du Voltamiria, le roi rendit visite à sa mère, qui se remettait lentement des sévices subis à Lacatarina. Un bras en écharpe et quelques ecchymoses étaient les seuls signes encore apparents de ce qu'elle avait vécu. Le beau-père de Hosh lui avait dit que les plus grandes séquelles dont souffrait Una étaient psychologiques et qu'elle reprenait difficilement un rythme de vie normal. Elle sursautait à la moindre vibration inattendue et faisait d'affreux cauchemars toutes les nuits.

Quillo rappela ensuite au jeune souverain son rendez-vous avec les chantevoix et ce dernier traversa seul le dôme transparent qui protégeait leur manoir, puisque ses gardes n'y étaient pas acceptés. Hosh atteignit la grande porte de la résidence, qui s'ouvrit immédiatement sur l'aîné des chantevoix.

– Bonjour, Majesté, s'exclama-t-il d'un ton joyeux. Que nous vaut le bonheur de votre visite ?

Le roi sourit ; il savait très bien que le sirène aux cheveux rouges aurait pu répondre lui-même à sa question s'il s'était permis de sonder son esprit. Cependant, un strict code d'éthique le lui interdisait.

– Un de mes contingents de soldats m'a affirmé que le chant de repérage avait été interrompu lors de leur dernière expédition, mentionna Hosh en suivant son hôte vers un petit salon d'accueil. Vous n'êtes pas sans connaître nos relations tendues avec le royaume de Lacatarina ? Vous comprendrez donc que nous ne pouvons pas nous permettre que nos troupes se perdent dans l'océan, particulièrement en ce moment.

– Vos gardes ne vous ont pas menti, Majesté... et ce phénomène s'est répété à quelques reprises au cours des deux dernières semaines. Nous travaillons sans relâche pour comprendre ce qui cause ces interruptions et pour rétablir la situation sans délai. Voici le compte rendu que nous nous apprêtions à vous envoyer, ajouta-t-il en tendant un rouleau d'algues à Hosh. En constatant que c'est la raison de votre visite, je réalise que j'ai trop tardé avant de le faire... J'espérais tant pouvoir y inclure la solution au problème ! Veuillez m'en excuser, Majesté.

Hosh savait que les chantevoix n'avaient pas l'habitude d'échouer. Il comprenait donc les raisons qui les avaient poussés à ne pas lui faire part du problème. Il remercia le chantevoix pour ses efforts et profita de son tête-à-tête pour évaluer l'appui qu'il pourrait recevoir de leur part, en cas de guerre.

– Notre rôle de protecteur du secret des sirènes va au-delà des frontières des royaumes, lui expliqua le chantevoix. Peu importe ce qui se passe dans l'océan et de quelle façon le territoire est divisé, nous devons continuer à surveiller coûte que coûte les syrmains qui sont nés à Lénacie et qui vivent sur terre. Nous ne pouvons pas nous laisser distraire de notre travail. Il en va de la survie de toute notre race.

La réponse déçut beaucoup le roi, mais il comprenait très bien les enjeux.

* *
*

Trois jours après sa visite au manoir des chantevoix, Hosh discutait avec Pascale, venue le rejoindre au centre aquarinaire. Elle avait apporté des poissons-clowns qui n'étaient absolument pas malades, mais qui leur donnaient une excuse pour se voir.

– Je vais être en retard si je ne pars pas immédiatement, soupira Hosh, déçu de devoir quitter la belle sirène. Grand-mère arrive dans moins d'un quart de chant et je dois rejoindre Marguerite pour l'accueillir. Elle revient dans la cité avec mes cousins, que je n'ai jamais rencontrés. Ce sont les fils de mon oncle Ferty, le frère de mon père.

– Tu dis que tu ne les as jamais connus ? s'étonna Pascale. En vingt-cinq ans ? Comment est-ce possible ?

– Lorsque mon père et ses quatre frères sont morts, lui rappela Hosh, Aïsha est partie vivre dans la cité de Youbba, près des côtes africaines. Elle a amené avec elle ses deux belles-filles et leurs trois siréneaux. Ensuite, grand-mère n'est pas revenue à Lénacie pendant plus de quinze ans, car sa peine était trop grande. Peut-être qu'il en était de même pour mes tantes... Quoi qu'il en soit, je n'ai pas côtoyé mes cousins lorsque j'étais jeune. Cependant, depuis dix ans, Aïsha passe autant de temps à Lénacie qu'à Youbba et je ne m'explique pas plus que toi pourquoi ils ne sont pas encore venus faire notre connaissance, à Marguerite et à moi.

– Peut-être attendaient-ils un signe de votre part ?

– C'est possible... il faut dire que la route depuis Youbba est très longue. Après tout, il faut traverser l'océan Léna en entier !

Après avoir promis de retrouver Pascale chez elle, pour un souper le lendemain, Hosh se hâta de nager jusqu'au parc Doçura, où il devait accueillir sa grand-mère. Marguerite avait pensé que l'endroit serait moins formel que la grande salle du palais. Elle ne voulait pas accueillir ses cousins en tant que reine de Lénacie, mais plutôt en tant que Marguerite, petite-fille d'Aïsha. Hosh était tout à fait d'accord.

Cette rencontre revêtait pour le jeune roi une importance particulière. Il avait passé tant d'années sans autres parents que sa mère et la détestable famille de son oncle Usi ! Pendant longtemps, il avait ressenti une sorte de vide intérieur. Ses rêves étaient toujours remplis de frères, de cousins, d'oncles et de tantes avec qui il pouvait être lui-même. Lorsque Marguerite était apparue dans sa vie, une partie de ce vide avait été comblée.

– Es-tu nerveux ? lui demanda sa jumelle pendant qu'Una les rejoignait au bras de Brooke.

– Un peu, lui chuchota-t-il. Et s'ils ne nous aimaient pas ?

Hosh se rendait bien compte que sa remarque était puérile. Peu importe que deux étrangers l'aiment ou non. Il était un adulte et, de surcroît, un roi. Sa jumelle ne lui en fit pourtant pas la remarque. Elle glissa simplement sa main dans la sienne et serra ses doigts doucement. Elle comprenait.

Soudain, le sens de la vibration du roi le prévint que des véhicules approchaient. L'attente des derniers jours était sur le point de prendre fin. Deux chars tirés par des thons de plus de trois mètres étaient en vue. Aïsha fut la première à en sortir et elle se jeta littéralement sur ses petits-enfants.

– Mon petit Hosh ! s'enflamma-t-elle. Que tu es devenu beau sirène !

Puis elle embrassa Marguerite et Una. Énergique, elle se tourna vers l'autre véhicule pour faire signe à ceux qui s'y trouvaient de la rejoindre.

Deux sirènes d'environ trente-cinq ans s'approchèrent.

– Marguerite et Hosh, je vous présente vos cousins, Jexaed et Anpaan, lança fièrement Aïsha.

Jexaed avait les cheveux de la même longueur et de la même couleur que ceux de Hosh. Sa queue de sirène était d'un bleu turquoise, il mesurait près de six pieds et était mince. Son frère Anpaan était plus petit, mais beaucoup plus musclé. Ses cheveux noirs, plus courts que ceux de son frère, étaient retenus sur sa nuque.

– Soyez les bienvenus ! les accueillit Hosh, en mettant une main sur son cœur en signe de salutation.

– J'espère que vous avez fait bon voyage, ajouta Marguerite avec entrain.

Sans attendre, Una s'approcha de ses neveux et les embrassa sur les joues.

– Je suis très heureuse de vous revoir, dit-elle à son tour.

En huit ans de missions diplomatiques, la reine mère avait eu l'occasion de visiter Youbba à deux reprises et de rencontrer les familles de ses beaux-frères décédés.

– Moi aussi, ma tante, répondit Anpaan, tout sourire. Ma mère vous transmet ses meilleures salutations et elle vous invite à la maison... dès que vous serez à nouveau tentée par un voyage de deux semaines en char ! Et à condition que vous nous rapportiez de cette délicieuse gelée de homard dont vous seule avez la recette.

– Ne l'écoutez pas ! rétorqua Jexaed en riant. Mère n'a jamais ajouté cette condition ! Mon frère est trop gourmand...

Le naturel et l'humour dont faisaient preuve ses cousins plurent immédiatement au roi. Cela, ajouté au fait qu'ils avaient appelé Una « ma tante », venait de créer une connexion invisible entre eux : le lien de la famille.

Hosh les invita à le suivre et il leur fit visiter le palais avec Marguerite. Ils discutèrent ensuite pendant toute la soirée et une grande partie de la nuit. Rapidement, Hosh fit part à ses cousins qu'ils n'avaient pas à les vouvoyer, sa sœur et lui.

Le jeune souverain découvrit en eux des sirènes sympathiques, qui avaient refusé de laisser Aïsha faire le long voyage vers Lénacie seule. Après tout, elle se faisait de plus en plus vieille pour parcourir de telles distances... Anpaan et Jexaed avaient pris congé à leur travail et saisi cette occasion pour découvrir leurs racines, voir où leur père avait grandi et rencontrer des membres de leur famille.

Les deux frères leur apprirent qu'ils n'étaient jamais venus au cours des huit dernières années parce qu'un des fils de Jexaed était malade et que cela avait nécessité des soins spéciaux. Aujourd'hui, l'enfant allait mieux et son cousin avait estimé pouvoir entreprendre ce voyage pendant lequel il serait absent durant environ deux mois.

* *
*

Deux jours plus tard, Hosh s'entretenait à nouveau avec ses cousins, en compagnie de Quillo, dans la salle aux écrevisses. Au début de son règne, il avait choisi cette pièce pour en faire son bureau privé, en plein centre du palais. Le roi les interrogea sur leur métier et il eut la surprise d'apprendre que Jexaed était maître tritonnien, c'est-à-dire qu'il pratiquait l'art complexe de fabriquer des tridents et de les manier avec une virtuosité peu commune.

– Lorsque je suis arrivé à Youbba, après la mort de mon père, un des maîtres tritonniens de la cité m'a choisi comme apprenti. J'étais très jeune, mais il a toujours dit que j'avais déjà en moi une capacité de concentration étonnante. J'ai donc appris à discerner les différents modèles de tridents, à les utiliser, à les reproduire, puis à les concevoir en fonction des besoins de mes clients.

– Ce métier m'a toujours fasciné ! avoua Hosh. Si peu de gens ont les aptitudes pour l'exercer.

– Jexaed est vraiment doué ! renchérit Anpaan en se joignant à la conversation. Sa réputation de maître tritonnien dépasse les frontières du territoire de Youbba. L'an dernier, le roi des territoires du Nord s'est déplacé lui-même pour lui commander une série de tridents faits sur mesure...

– En parlant de tridents, l'interrompit Jexaed pendant que le rouge lui montait aux joues, quelle sorte de trident as-tu donc dans ton bureau ?

– Aucun ! Avec tous les gardes qui m'entourent, je ne ressens pas le besoin d'être armé ! répondit Hosh en riant.

– Pourtant, s'entêta son cousin, je pourrais jurer qu'un trident se trouve ici. Je détecte une puissance très particulière...

Hosh observa son cousin qui tendait ses paumes devant lui, comme pour sonder avec son esprit les murs et les objets de la pièce. Occare fit son entrée à ce moment-là. Elle fut surprise de tomber face à face avec les quatre sirènes à un chant de la journée où Hosh était habituellement en réunion dans la grande salle.

– Oh ! Désolée de vous déranger, Majesté. Je venais déposer comme convenu les derniers états financiers sur votre bureau. N'oubliez pas d'y jeter un œil avant la réunion de demain.

Hosh prit le temps de faire les présentations. Lorsqu'il présenta Anpaan à Occare, il sentit que la température de l'eau augmentait légèrement. Occare, toujours en contrôle d'elle-même, resta étonnamment sans voix devant ce sirène qui la fixait dans les yeux, sourire en coin.

– Et toi, Anpaan ? Que fais-tu dans la vie ? demanda Hosh pour meubler le silence qui s'installait.

– Je suis aquarinaire comme mon père et notre grand-père avant moi. Je n'ai jamais réussi à découvrir quel était mon allié naturel dans l'océan, alors je prends soin de ceux des autres ! fit-il à la blague.

Quelle agréable surprise pour Hosh ! Il s'apprêtait à offrir à son cousin de l'accompagner pour une visite du centre aquarinaire de Lénacie lorsqu'un requinoi pénétra dans la salle et se mit à tournoyer au-dessus de sa tête. Hosh tendit la main, décrocha le message et le déroula. Il reconnut aussitôt l'écriture de Diou.

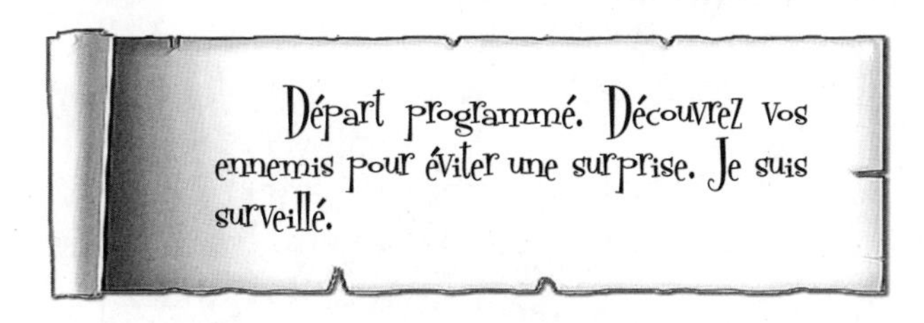
Départ programmé. Découvrez vos ennemis pour éviter une surprise. Je suis surveillé.

« Bon, une énigme maintenant ! soupira Hosh mentalement. Il ne manquait plus que ça ! »

– Mes chers amis, je dois vous quitter, le devoir m'appelle, fit le souverain en envoyant un poisson-messager vert à Quillo pour lui demander de le rejoindre. Nous reprendrons cette agréable conversation un peu plus tard. Occare, merci pour ton travail. Je ne pourrai pas faire visiter le centre aquarinaire à Anpaan, pourrais-tu me rendre ce service ?

– Excellente idée ! approuva Anpaan en faisant un clin d'œil discret à la jeune femme.

Les trois sirènes s'inclinèrent et quittèrent la pièce en croisant Quillo qui y entrait.

– Je te prie de convoquer ma sœur et les membres du grand conseil immédiatement, ordonna Hosh sans préambule à son gardien d'horaire. Nous avons une énigme à résoudre et nous ne serons pas trop de plusieurs têtes pour y réfléchir !

- 10 -

Avenir incertain

Hosh nagea jusqu'à la petite salle de réunion du deuxième étage en réfléchissant au contenu du message de Diou. « Découvre tes ennemis »... S'il avait à les « découvrir », c'est que la menace ne viendrait pas des Lacatariniens. Alors de qui ?

Le roi accueillit les membres de son grand conseil, qui arrivèrent les uns après les autres. Lorsque Marguerite entra à son tour, Hosh leur fit part de l'énigme. Après un demi-chant de discussions, il fut décidé que deux bataillons de soldats partiraient en éclaireurs pour tenter de découvrir ce qui se tramait.

– Nous concentrerons nos recherches dans les abysses qui séparent nos deux royaumes, annonça Marguerite. Il y a peut-être des éléments que le Voltamiria et les poissons de Dave n'ont pas découverts...

Hosh était parfaitement d'accord avec sa soeur. Comme elle, il se souvenait du premier message que Diou leur avait envoyé, dès son retour à Lacatarina : « Si j'étais vous, je m'intéresserais davantage aux fonds abyssaux. Ils sont une cachette idéale pour plusieurs créatures. »

Le jeune souverain eut subitement l'envie irrésistible de se joindre aux deux bataillons pour l'expédition. Ce faisant, il savait qu'il allait à l'encontre du code régissant la vie des souverains, selon lequel le roi devait en tout temps rester à l'intérieur de la cité.

« Eh bien justement, estima-t-il, JE suis le roi et je peux changer les règles ! »

Aussi décida-t-il de prendre la tête des troupes afin de diriger les opérations.

À sa grande surprise, aucun membre du grand conseil ne s'opposa à son désir, même pas Una, qui avait pourtant toujours respecté le règlement à la lettre pendant son règne. Le départ fut fixé pour le surlendemain.

Lorsque tous les conseillers eurent quitté la salle de réunion, Marguerite retint son frère par le bras.

– Je n'ai pas voulu te contrarier devant le conseil, mais je ne crois pas que ta décision soit raisonnable.

Devant le silence de son frère, elle poursuivit.

– Les souverains n'ont pas le droit de mettre leur vie en danger ! Il faut que tu penses à ton peuple avant de penser à ton désir d'aventure.

– Marguerite, je ne saurais t'en expliquer la raison, mais je *sens* que je dois y aller. J'ai le sentiment que je peux faire la différence et que je servirai beaucoup plus notre peuple en traquant et en combattant un ennemi qu'en restant cloîtré ici.

Hosh vit le regard de sa sœur devenir fixe et sa tête pencher vers l'arrière, signes qu'elle allait perdre conscience. Il la retint dans ses bras jusqu'à ce qu'elle revienne à elle. Dès lors, le roi sut que c'était gagné. Sa sœur ne s'opposerait plus à son départ, même si c'était plus par manque de forces que par conviction.

– Je persiste à croire que ce n'est pas une bonne idée, mais, puisque telle est ta décision, il est de notre devoir de prévoir les conséquences...

– Que veux-tu dire par là ?

– Il nous faut un testament. S'il t'arrive malheur et que tu meurs, la loi dit que je ne pourrai pas régner seule. Qui nous remplacera, dans ce cas ?

* *
*

Hosh s'enferma avec Marguerite, Quillo et Céleste dans le bureau de la reine avec tous les documents nécessaires. Les quatre amis se penchèrent sur d'anciens écrits et de vieux registres à partir desquels ils conçurent un testament officiel.

Ensuite, ils convoquèrent Occare et Dave, qu'ils avaient choisis pour être leurs successeurs. La décision s'était imposée d'elle-même. Après tout, le couple de jumeaux avait failli remporter la course à la couronne ! À cause des manigances d'Alicia, Dave avait été blessé lors de l'avant-dernière épreuve et cela avait compromis leurs chances de réussite. À la suite de leur échec, Occare et Dave s'étaient impliqués corps et âme dans la cité lénacienne, si chère à leurs yeux.

Dès le début de son règne, Hosh avait accordé toute sa confiance à Occare pour gérer les finances du royaume. Quant à Dave, il n'avait de cesse d'améliorer la qualité de vie des citoyens et la sécurité de leur monde. Si Marguerite ou Hosh venait à mourir, Occare et Dave seraient des remplaçants parfaits.

Surpris par cette annonce, les ex-aspirants furent honorés et, Céleste et Quillo étant témoins, tout fut fait conformément aux règles... et dans le plus grand des secrets.

* *
*

Le fait de rédiger un testament avait rendu le danger d'une sortie en mer plus réel dans l'esprit de Hosh. L'image de la belle Pascale s'imposait sans cesse à lui. Il ne parvenait même plus à justifier à ses propres yeux les raisons qui le poussaient à garder son amour secret.

– Je suis le roi ! répéta-t-il pour la deuxième fois ce jour-là. Je travaille tellement fort pour mon royaume, je devrais avoir le droit d'être heureux.

Pour cela, il fallait lever le jugement qui empêchait Pascale d'accéder au palais. Hosh se dit que la meilleure personne pour le faire était sa mère, puisqu'elle était celle qui avait été forcée d'émettre cette sentence. En tant que reine mère, elle avait encore certains pouvoirs à Lénacie. Il était plus que temps qu'il lui ouvre son cœur...

* *
*

La nuit suivante, Hosh et Quillo mirent le bureau royal sens dessus dessous. Ils vidèrent la pièce de tous les meubles qu'elle contenait. Hosh n'avait pas oublié la visite nocturne de Coutoro et, à la veille de son départ, la pensée qu'un objet important aux yeux d'Alicia y était caché l'empêchait de trouver le sommeil. Les deux amis observèrent chaque meuble sous toutes ses coutures. Ils retirèrent les banderoles d'algues et autres articles de décoration des murs afin de passer soigneusement leurs mains sur chaque centimètre carré de la pièce dans l'espoir d'y dénicher une cachette secrète. Le bureau était maintenant presque vide, les deux jeunes hommes exténués, et ils n'avaient rien trouvé.

– Ouf ! Je ne vois pas ce qu'on peut faire de plus sinon détruire les murs ! soupira Quillo en se massant le bas du dos.

– Ce n'est pas une mauvaise idée, approuva Hosh, à la grande surprise de son responsable des horaires. Aurais-tu une massue ?

– Tu plaisantes ?!

– Pas du tout. Alicia a envoyé Coutoro fouiller ce bureau et ma tante ne fait jamais rien sans raison. Je veux et je vais en avoir le cœur net !

* *
*

Hosh n'eut toutefois pas le temps de mettre son plan à exécution. Il s'employa plutôt à rassurer ses conseillers, qui semblaient vouloir revenir sur leur décision de le laisser partir en mer. Pour ne rien arranger, la nouvelle qu'il serait à la tête des deux contingents de gardes fit rapidement le tour de la cité, grâce au magazine *L'Anguille*, qui avait eu cette primeur d'on ne sait où. Pour Hosh, qui avait espéré quitter discrètement Lénacie, c'était raté ! Il en était très contrarié, mais qu'y pouvait-il ?

La veille de son départ, Jexaed lui rendit visite dans la salle aux dauphins.

– Anpaan et moi avons décidé de prolonger notre séjour à Lénacie pour vous soutenir, Marguerite et toi, dans la guerre qui semble se préparer. Y a-t-il de nouveaux développements ?

– Pas pour le moment, mais je connais ma cousine et elle colle parfaitement à l'adage qui dit : « Méfiez-vous de l'eau qui dort. » Elle se prépare à nous foncer dessus à la vitesse d'un marlin, j'en donnerais mes écailles au requin.

– J'ai un petit quelque chose pour toi, lui annonça Jexaed. Ça pourra t'être utile pendant ton expédition.

Du sac qu'il portait en bandoulière, il sortit un bracelet un peu bizarre.

– C'est ma dernière invention : un détecteur de trident.

– Wow ! s'écria Hosh, enthousiaste. Comment fonctionne-t-il ?

– Comme tu le sais, le trident est activé par la pensée. Il produit donc une énergie unique et particulière. J'ai eu l'idée d'étudier cette énergie et d'inventer un objet capable de la détecter.

Le roi était abasourdi par l'ingéniosité de son cousin. Un détecteur de trident pouvait lui donner un avantage certain sur ses ennemis ! L'instrument, pas plus gros que la paume d'une main, s'accrochait soit au poignet de son utilisateur, soit directement au manche d'un trident.

– Je dois toutefois te prévenir : il y a un inconvénient majeur que je n'ai pas encore réussi à contourner. Mon invention ne détectera un trident que s'il est actif.

– Autrement dit, seulement lorsque mes ennemis s'apprêteront à l'utiliser contre moi.

– Exactement. Lorsqu'un trident s'activera près de toi, ton détecteur émettra une lueur jaune qui passera au orange, puis au rouge, au fur et à mesure que tu te rapprocheras de l'arme ou que celle-ci gagnera en puissance.

* *
*

Le matin du départ, Hosh attendait sa mère dans la grande salle. Il était entouré de ses amis, de ses conseillers et de quelques personnes qui gravitaient autour des souverains. Tous pensaient qu'ils avaient été conviés pour souligner le départ du roi. Mais Hosh leur réservait une tout autre surprise...

Lorsque le deuxième chant du matin fut chanté, Una apparut à l'autre bout de la salle avec, à ses côtés... Pascale !

En tant qu'ex-souveraine, Una montrait ainsi à tous que la jeune sirène était à nouveau admise au palais.

« Peu importe l'opinion publique, je sais ce que je dois faire », se répéta Hosh pour la centième fois en deux jours. Il nagea vers les deux femmes et plongea son regard dans celui de Pascale. En quelques secondes, le silence se fit autour d'eux. Le cœur du jeune homme battait de plus en plus fort. Il remarqua que la belle sirène retenait son souffle de nervosité.

Il lui sourit, lui prit les mains et lui fit une déclaration :

– Sur le point de partir vers les abysses, je réalise à quel point j'ai été idiot de te demander de vivre notre relation en secret. Je ne pourrai jamais t'offrir la vie douce et sans tracas que tu mériterais, mais je peux t'offrir mon amour et mon dévouement à ton bonheur pour le reste de ma vie. Pascale, me ferais-tu l'immense honneur de devenir mon épouse ?

Sur ces paroles, Hosh descendit de deux coups de queue, en attente d'une réponse. Lorsqu'il releva la tête, Pascale lui sauta au cou et, sous les yeux de tous les Lénaciens présents, elle embrassa le roi.

Le chant de joie qui explosa dans la grande salle fut si puissant qu'on l'entendit jusqu'à l'extérieur des murs du palais. Una serra son fils et sa future belle-fille dans ses bras. Puis, Marguerite et Damien s'approchèrent à leur tour.

– Félicitations, frérot, lui lança sa jumelle. Tu as été parfait ! Quelle belle demande en mariage !

Hosh était excessivement heureux. Il tenait la main de son amoureuse au vu et au su de tous. Une pensée vint toutefois assombrir ce moment de bonheur. Le roi ne put s'empêcher de se dire que le rêve qu'il chérissait depuis son adolescence était sur le point de se concrétiser au moment où une guerre menaçait d'éclater...

* *
*

Deux chants plus tard, près du mur de protection, Hosh s'adressa aux Lénaciens rassemblés pour son départ. Il prit un coquillage porte-voix et lança :

– Sirènes ! De sérieux indices nous laissent croire qu'un danger menace notre cité. En effet, nous soupçonnons que les Lacatariniens désirent s'emparer d'une partie de notre territoire, sous le commandement de leur reine, Jessie, fille d'Usi. Depuis des centaines d'années, notre peuple vit en paix avec ses voisins du Sud. Nos enfants grandissent dans le bonheur et l'insouciance. C'est cette tranquillité que nous devons préserver à tout prix ! Nous aurons besoin des efforts de chacun d'entre vous pour éviter la guerre – si cela est encore possible – ou pour la gagner, si nous devons nous battre. Les sous-sols du palais seront mis à votre disposition pour que vous mettiez à l'abri vos siréneaux dans l'éventualité d'une guerre. Citoyens, je vous demande de vous tenir prêts à défendre votre royaume !

Hosh salua la population de la main et passa la barrière de protection. Il lui faudrait près d'une semaine pour se rendre à la frontière des deux territoires avec l'aide de dauphins munis d'aérodynamos.

* *
*

Jour après jour, la troupe avançait sans rencontrer d'obstacles majeurs. Avec l'aide de la carte des fonds marins fournie par les chercheurs du Voltamiria, Hosh s'enfonçait plus profondément dans l'océan. Au soir du septième jour, le roi découvrit l'entrée d'une grotte.

« L'endroit parfait pour passer la nuit à l'abri du danger ! » pensa-t-il.

Accompagné de quelques gardes, le souverain y entra pour une exploration préliminaire. Il n'avait pas nagé trois mètres à l'intérieur de la grotte que sa queue buta sur un petit rocher placé en équilibre sur un autre, alarmant ainsi un groupe de murènes qui fonça vers eux à toute allure. Les éclairs de tridents fusèrent de partout et, pendant quelques secondes, Hosh fut aveuglé par le flot de lumière. Lorsque le calme revint, des cadavres de murènes jonchaient le sol. Heureusement, tous les sirènes s'en sortaient indemnes.

Le roi envoya sur-le-champ un garde prévenir ceux restés à l'extérieur que tout allait bien. Nul doute qu'il s'agissait d'un piège. Les questions se succédaient dans son esprit : « Qui a bien pu l'installer ? » et surtout « Pourquoi ? »

Il décida de poursuivre tout de même son exploration, cette fois plus prudemment. Les gardes projetèrent une douce lumière autour d'eux grâce aux dents de leurs tridents. Quelques mètres plus loin, le groupe parvint à une grande salle circulaire. Des cordes tressées à partir de racines, des carapaces de tortue vides, des pierres à découper, des peaux de baleine et plusieurs autres articles de la vie courante gisaient par terre.

Hosh s'avança vers un renfoncement dans le mur du fond de la grotte. Au centre de cet espace de la grandeur d'une chambre de siréneau se dressait un autel. Des ossements de sirènes jonchaient le sol tout autour.

« Une table de sacrifice ?! Quelle horreur ! » songea le roi en frissonnant de dégoût.

Son regard se promena sur les murs de la pièce, où des étagères avaient été creusées dans le roc. Il dénombra une quinzaine de longues pierres à découper, trois cages contenant chacune un poisson-pierre venimeux et de petites tiges faites de racines de Java, dont le bout pointu et recourbé pouvait servir à arracher des ongles ou des écailles. Le roi vit également une sangle caudale. Cet instrument de torture s'installait à la jonction entre la queue et la nageoire caudale et servait à broyer le membre jusqu'à ce que la nageoire, privée de sang, tombe.

– Majesté ! Venez vite par ici ! cria un des gardes à l'autre bout de la grotte.

Hosh rejoignit l'homme qui lui pointait l'entrée d'un étroit couloir. Il l'emprunta en avançant lentement. Au fond, une série de barreaux fermaient le passage. Une vision d'horreur apparut : une dizaine de siréneaux à la queue grise, aux écailles qui montaient jusqu'à la poitrine et aux doigts exagérément longs cachaient leur visage déformé de leurs mains. Leurs yeux ne toléraient pas le faible rayonnement des tridents des gardes. Ils étaient sales, négligés, et avaient peu de cheveux. Plusieurs avaient les bras couverts de bleus, de morsures et de marques de griffures, comme s'ils s'étaient battus entre eux. Apeurés, ils poussaient de petits cris stridents.

– Des enfants frolacols !!! s'exclama Hosh, estomaqué.

- 11 -

Ennemis insoupçonnés

Son frère étant parti, Marguerite devait s'occuper seule de tous les dossiers du royaume. L'énorme charge de travail lui faisait regretter l'absence de son jumeau.

« Nos ennemis se montreront inévitablement un jour ou l'autre ! Quel est l'intérêt de leur courir après ? » se disait-elle souvent en repensant à la décision de Hosh de partir.

La reine se demandait surtout comment le roi avait pu quitter le mur de protection de Lénacie sans que personne s'y oppose... À sa connaissance, une telle exception ne s'était jamais produite par le passé. Cela provoquait en elle un étrange malaise qu'elle ne s'expliquait pas et dont elle ne parvenait pas à se débarrasser.

Pour ajouter à son trouble, elle s'était à nouveau évanouie en ce septième jour d'absence de son frère. Ne voulant pas inquiéter Damien et Zhul, elle ne leur en parla pas et n'osa pas annuler son entraînement au maniement de trident prévu avec son garde du corps.

Quelques jours après avoir commencé à travailler pour elle, Zhul s'était aperçu que la reine n'était pas particulièrement habile à se servir d'un trident. Il avait donc exigé qu'elle suive des cours privés avec lui.

– C'est une nécessité, Majesté ! avait-il plaidé. Vous devez être en mesure de défendre votre vie vous-même.

Marguerite lui avait donné raison et, depuis, elle s'entraînait trois fois par semaine.

Avant d'aller rejoindre Zhul, la jeune souveraine appela Céleste et lui confirma qu'elle avait ensuite l'intention de faire la visite officielle de l'usine de fabrication de pâte à maquillage, prévue depuis plus de trois mois. Cette visite devait permettre de constater les progrès des chercheurs qui tentaient de développer une nouvelle ligne de produits, à base de poudre de coquillages.

Le projet tenait à cœur aux souverains, puisqu'il découlait directement de leurs démarches pendant le Vodalum, au cours du troisième été d'épreuves. À l'époque, Marguerite et Hosh voulaient faire disparaître la montagne de coquilles qui polluait l'eau sur le site de l'ancien palais de Lénacie.

* *
*

Au fur et à mesure que la visite de l'usine avançait, Marguerite nota que quelque chose ne tournait pas rond. Les employés la regardaient de plus en plus bizarrement, voire méchamment. Le rythme de nage ralentissait et les explications de ses guides étaient entrecoupées de longs silences. La reine sentit une vague d'appréhension l'envahir. Au tournant d'un couloir, elle vit un grand sirène à la queue mauve s'approcher d'elle à vive allure, les bras tendus devant lui. Il plaça ses paumes de chaque côté de la tête de la reine et lui boucha les branchies.

Les yeux de Marguerite s'agrandirent d'horreur et elle enfonça ses ongles dans les avant-bras du sirène, tentant de toutes ses forces de se libérer. La poigne du travailleur était solide et, malgré le fait que la reine se débattait avec rage, il ne lâchait pas prise. En manque d'oxygène, la jeune femme paniquait. Elle parvenait tout juste à rester consciente grâce aux branchies supplémentaires qu'elle avait sur la nuque et dont très peu de sirènes connaissaient l'existence.

Étonnamment, personne ne réagissait autour d'elle. Tous regardaient la scène, les yeux vides d'expression. Zhul avait le même air absent que les ouvriers et Marguerite comprit qu'elle ne pouvait pas compter sur lui.

Ce n'était pas la première fois que la jeune femme voyait la mort de près et la dernière fois, lorsque Hosh avait failli mourir, elle s'était promis de toujours rester calme et lucide en situation d'urgence. C'était le moment !

Elle se débattit encore par soubresauts pour donner l'impression qu'elle suffoquait, puis elle laissa son corps devenir aussi mou qu'une méduse. L'homme relâcha légèrement son étreinte et, sans crier gare, Marguerite donna un vigoureux coup de queue à son adversaire, dont la tête fut projetée durement sur le mur derrière lui. La reine put s'enfuir aussitôt.

Elle entendit un cri de rage retentir derrière elle et redoubla d'efforts pour nager plus vite. Après avoir traversé deux couloirs, Marguerite pénétra dans une pièce qui ressemblait à un laboratoire et se cacha sous une carapace de tortue géante servant au transport des coquilles.

C'était le chaos dans l'usine et la jeune femme pouvait sentir les vibrations des ouvriers qui la cherchaient partout. Tous scandaient son prénom comme des robots. On aurait dit qu'ils étaient devenus fous ! Elle les entendait hurler et exiger sa mise à mort. Terrifiée, Marguerite se mit à trembler comme une algue dans un vif courant d'eau.

Pendant plus d'un chant, elle craignit qu'on découvre sa cachette. Lorsque le silence revint, elle en sortit et tenta de se remémorer le chemin le plus court pour quitter l'édifice. Elle tassa doucement les algues de la porte et avança dans le couloir, en nageant tout près du plafond afin de passer inaperçue si un sirène passait plus bas. Son cœur battait si fort qu'elle avait l'impression qu'à lui seul, il produisait des vibrations dans l'eau.

« Enfin, la sortie ! » murmura-t-elle en apercevant la grande porte ronde de l'usine. Dès qu'elle fut à l'extérieur, elle se cacha derrière un cabanon pour reprendre son souffle. Quel cauchemar ! Cette folie affectait-elle seulement les ouvriers de l'usine ou tous les citoyens de Lénacie ?

« Qu'ai-je bien pu faire pour mériter cette colère ? » se demanda-t-elle.

L'envie d'appeler Flora pour se sauver plus rapidement était grande, mais le dauphin serait aussitôt remarqué, dans ce quartier de la cité.

La nage était la solution la plus discrète, mais où aller ? Un sourire éclaira soudain son visage... Les chantevoix ! Leur manoir était l'endroit le plus sûr que Marguerite connaissait.

* *
*

Étrangement, Zaël l'attendait déjà devant la porte du manoir.

– Nous guettions ton arrivée avec impatience, lui dit-il, visiblement soulagé.

– Que se passe-t-il ?

– Viens, suis-moi.

Le chantevoix l'entraîna à l'intérieur jusque dans une salle où une dizaine de sirènes aux yeux mauves et aux cheveux couleur de feu étaient réunis. Le plus âgé s'approcha de la reine.

– Majesté, nous sommes heureux que vous soyez arrivée jusqu'à nous saine et sauve.

– Pouvez-vous m'expliquer ce qui se passe dans ma cité ? s'enquit la jeune femme.

– Il y a quelque temps déjà, nous avons repéré un chantevoix étranger au royaume, à l'extérieur de la barrière de protection.

– Mais comment est-ce possible ? s'étonna Marguerite. Je croyais que tous les siréneaux qui possédaient votre don étaient amenés ici dès leur naissance ?!

– C'est le cas, approuva l'aîné, lorsqu'ils sont lénaciens...

– Alors, il s'agirait...

– ... d'un Lacatarinien. Et il est très doué. Il a réussi à passer inaperçu à nos yeux pendant un certain temps, mais ses incursions mentales dans la tête de certains Lénaciens sont devenues de plus en plus fréquentes et de plus en plus fortes. Il a fini par attirer notre attention.

– Que nous veut-il ?

– Impossible de le savoir... Même Miria, la plus puissante d'entre nous, ne parvient pas à déceler clairement ses pensées. Cependant, l'incursion mentale de cet après-midi a été faite sur tant de sirènes que nous l'avons décodée immédiatement : tuer la reine. Nous vous avons donc rappelé par la pensée que le manoir est un endroit sûr et vous êtes venue jusqu'à nous.

« C'était donc ça ! pensa Marguerite. Le regard absent des hommes, à l'usine, leurs cris d'automates... Tout s'explique ! »

Loin d'être au bout de ses surprises, la reine apprit que, depuis quelques semaines, les chantevoix avaient remarqué un lien étrange entre le chantevoix lacatarinien et elle. N'ayant pas pu déchiffrer cette connexion, ils n'avaient pas voulu alerter tout de suite Marguerite.

– Tu sembles l'intéresser plus particulièrement, car il concentre la majorité de ses énergies vers toi, lui expliqua Zaël.

– Pourtant, à part mes pertes de conscience, rien n'a changé dans ma vie, réfléchit la jeune femme.

Puis elle comprit.

– Et si mes évanouissements avaient pour but de permettre à ce chantevoix d'entrer dans mon esprit et d'y soutirer des informations importantes au profit de Jessie ?

D'hypothèse en hypothèse, Marguerite en vint à la conclusion que ce chantevoix avait dû informer sa cousine à propos du cristal de Langula et de sa visite au centre de maquillage.

Zaël corrigea les dires de la reine :

– Pas tout à fait... Vois-tu, il existe différentes catégories de chantevoix et nous n'avons pas tous les mêmes dons. Selon ce que nous avons détecté par rapport à ce Lacatarinien, nous pensons qu'il peut savoir ce qui se passe autour de toi quelques secondes seulement avant que tu t'évanouisses. Un peu comme si, pendant un bref instant, il se servait de tes yeux et de tes oreilles. Il peut aussi transmettre des pensées à des sirènes et ainsi les motiver à agir ou, à l'inverse, à ne rien faire. Toutefois, il ne peut pas lire dans ton esprit comme moi je pourrais le faire si mon code d'éthique ne m'en empêchait.

– Pour l'instant, dit l'aîné, nous vous protégeons de ses incursions, mais, comme nous vous l'avons dit, il est très fort. Ça ne pourra pas durer...

– Nous venons également de comprendre qu'il est responsable de la décision du roi de suivre son équipe à l'extérieur du dôme de protection, renchérit Miria. Il a implanté cette idée dans la tête de votre jumeau, qui a cru qu'elle venait de lui.

– Le roi serait donc tombé dans un guet-apens ?! Mais c'est une véritable catastrophe ! s'exclama la reine. Par Poséidon, qu'allons-nous faire !

– Nous n'avons pas de solution immédiate à vous proposer, Majesté, répondit Miria sur un ton attristé. Nous croyons toutefois que le chantevoix ignore que nous connaissons son existence. Cela peut être un atout pour vous. En attendant que nous trouvions comment contrer ses pouvoirs, vous pouvez rester au manoir. Vous y serez en sécurité.

Les chantevoix quittèrent la salle un à un, à l'exception de Zaël.

– Marguerite ? Je sais que tu es bouleversée, mais j'aimerais que tu songes à l'étendue de tes pouvoirs, qui allient les capacités des dauphins à celles du dragon des mers. Ils n'ont pas encore été exploités et pourraient t'être fort utiles pour nous débarrasser de l'intrus.

Zaël connaissait l'existence de Neptus depuis des années. Neuf ans plus tôt, il avait fait fi du code d'éthique des chantevoix pour venir au secours de Marguerite et de Hosh, emprisonnés par leur tante Alicia. Marguerite lui avait alors parlé de ses facultés télépathiques, de son pouvoir sur les éléments et de son lien bien spécial avec le dragon des mers. Malheureusement, les nouvelles responsabilités de la jeune reine l'avaient empêchée d'approfondir ses dons.

Avant de se mettre à la recherche d'une solution, la reine envoya un message à Quillo, qu'elle espérait encore sain d'esprit. Elle lui demanda d'envoyer sur-le-champ un contingent supplémentaire des meilleurs soldats du royaume pour avertir Hosh du piège dans lequel il allait se jeter et l'escorter durant son voyage de retour jusqu'à la cité.

Elle rédigea ensuite un rouleau d'algues à l'intention de Damien, afin de l'informer de l'endroit où elle se cachait. Elle tenait à le rassurer et à lui dire qu'elle serait de retour au palais dès que possible.

* *
*

Marguerite réfléchit toute la nuit aux capacités des dauphins et à ce que lui avait transmis son père juste avant de rendre son dernier soupir. Puis elle se concentra sur ce qu'elle connaissait de Neptus.

Au petit matin, épuisée mais satisfaite, elle crut avoir enfin trouvé.

* *
*

– Les ultrasons ? répéta Zaël en se grattant la tête.

– Savais-tu que les dauphins réussissent parfois à assommer leur proie en envoyant une série de puissants ultrasons ? l'informa la reine.

Mon défunt père m'a transmis ce pouvoir. Ce que je ne sais pas, c'est si mon contact prolongé avec Neptus, jadis, me permettrait de diriger des ultrasons à des kilomètres d'ici et vers une seule personne. Je ne voudrais surtout pas éliminer toute la faune qui borde la cité...

– Une chose est certaine, tu ne peux pas te permettre de faire des essais et des erreurs. L'effet de surprise est primordial, ajouta Zaël. Sinon, le chantevoix lacatarinien se protégera. Tu n'auras qu'une chance de réussir !

* *
*

Un peu plus tard le même jour, ce fut le branle-bas de combat dans le manoir. Marguerite s'apprêtait à tenter un exploit jamais réalisé auparavant : envoyer des ultrasons mentalement. Les chantevoix s'appliquaient à créer une sorte d'écran protecteur autour de la pièce, de façon à ce que les ondes n'aient aucune incidence sur la population. La peur de l'échec rendait la reine excessivement nerveuse, mais elle concentra ses pensées sur ses amis les dauphins et sur l'enseignement transmis par son père avant sa mort.

Bientôt, son sens de la vibration lui révéla la présence du chantevoix rival, à quelques kilomètres de là, à l'extérieur du dôme. En contrôle, elle envoya à son adversaire une série d'ultrasons si puissants qu'elle ne détecta plus du tout ses vibrations par la suite. L'avait-elle tué ?

L'expérience terminée, Marguerite sortit de la pièce. Zaël lui sourit. La jeune reine remarqua que trois de ses compagnons aux cheveux rouges flottaient près de lui, assommés. Non seulement elle ne connaissait pas sa force, mais il était évident qu'elle n'était pas parvenue à diriger ses ultrasons aussi précisément qu'elle l'aurait voulu. Serait-ce suffisant ?

- 12 -

Piégé

La découverte des enfants frolacols avait causé un choc à Hosh. Leur présence signifiait que, contrairement à ce qu'il croyait, il n'avait pas réussi à débarrasser l'océan de ces êtres dénaturés.

« Peut-être ne s'agit-il que d'un tout petit groupe isolé qui n'a pas participé à la bataille..., pensa le roi. Après tout, nous sommes loin de Lénacie. »

Un demi-chant plus tard, les questions se bousculaient toujours dans sa tête... Où étaient leurs parents ? Depuis combien de temps ces petits étaient-ils dans cette grotte ? Pourquoi les adultes les avaient-ils abandonnés sans surveillance et sans nourriture ? Et, surtout, que devait-il faire avec eux ? Devait-il les laisser en vie ?

La nature profonde de ces êtres pouvait-elle être modifiée par l'éducation ou deviendraient-ils un jour inévitablement aussi dangereux que leurs parents ?

Hosh voyait bien que ces mêmes questions angoissaient ceux qui l'accompagnaient. Depuis plusieurs minutes, un véritable débat avait lieu au sein des gardes où les deux points de vue opposés s'affrontaient. Certains refusaient de laisser les petits seuls, enfermés derrière ces barreaux, et souhaitaient les ramener à Lénacie, alors que d'autres, plus radicaux, voulaient les tuer pour éviter qu'ils grandissent et développent leur goût pour le cannibalisme comme leurs géniteurs. Hosh détestait être pris entre la carapace et la tortue ! Il devrait pourtant trancher !

Les pensées de Hosh voguèrent jusqu'à Pascale et aux petits orphelins dont elle s'occupait. Elle les aimait de tout son cœur et jamais elle ne songerait à abandonner des siréneaux. Frolacols ou pas. Hosh sut aussitôt qu'il serait incapable de regarder dans les yeux sa future épouse s'il agissait à l'encontre de ses convictions.

Il annonça donc qu'au moment de leur départ pour Lénacie, ils amèneraient les enfants avec eux. Des gardes donnèrent de la chair fraîche de thon à manger aux jeunes frolacols et le guérisseur de l'armée les soigna de son mieux. Tous s'installèrent ensuite pour la nuit.

* *
*

Pendant trois jours, Hosh et son équipe fouillèrent les abysses environnants sans trouver de traces de frolacols adultes. Pourtant, les petits n'étaient pas arrivés là seuls. Les parents devaient bien être quelque part...

– Nous rentrons, décida malgré tout le roi. Nos réserves de nourriture s'amenuisent et nous sommes tous exténués.

En un quart de chant, les sacs en cuir de baleine furent refermés et les troupes, prêtes à reprendre la route. On força les barreaux de la cage des enfants frolacols et on les dirigea vers la sortie. Ils ne nageaient pas très bien et semblaient excessivement craintifs comme s'ils n'étaient jamais sortis. On dut les obliger à avancer en les poussant dans le dos. On plaça leur char au centre du groupe.

Plus les troupes progressaient, plus Hosh sentait une tension palpable chez ses soldats.

Les mains serraient plus fort les manches des tridents et les têtes se retournaient nerveusement de droite à gauche, prêtes à parer une attaque-surprise.

– Ça fait quatre jours que nous sommes là et les parents ne se sont pas souciés de venir protéger leurs petits, lança le roi pour rassurer ses hommes. Je ne pense pas que nous ayons beaucoup à craindre.

Le chant qui suivit sembla donner raison à Hosh. Les yeux rivés sur son détecteur de trident, le souverain dirigeait ses troupes, les devançant de quelques mètres. Ils quittèrent la fosse abyssale et, peu de temps après, un des gardes responsables des enfants se détacha du petit groupe pour rejoindre Hosh.

– Majesté, quelque chose ne va pas avec les frolacols. Les enfants... blanchissent.

« Qu'est-ce que c'est que cette histoire ? » s'interrogea Hosh en faisant faire demi-tour à son dauphin pour suivre le Lénacien.

Force fut d'admettre que le garde avait raison : les enfants étaient blêmes et les écailles de leur queue et de leur poitrine étaient passées du gris au blanc.

Le roi fit donc arrêter le convoi pour demander au guérisseur de les examiner. Celui-ci s'avança vers un des jeunes qui avaient perdu conscience et constata rapidement son décès. Les yeux des autres petits se fermèrent les uns après les autres. Tout se fit silencieusement, sans cris ni pleurs. Comme s'ils s'étaient endormis d'épuisement.

Hosh et ses gardes étaient abasourdis. Était-ce le changement de température ou de pression qui avait tué les frolacols ? Nul ne le savait.

Le roi se sentait affreusement coupable de les avoir sortis de la grotte. Il avait voulu sauver les siréneaux, mais, au lieu de cela, il les avait fait mourir. Pour la première fois depuis le début de cette expédition, sa sœur lui manquait. D'expérience, il savait que sa bonté mariée à son analyse de la situation lui auraient été salutaires et qu'elle aurait su trouver les mots pour lui enlever ce poids de culpabilité.

* *
*

Au cours des six jours qui suivirent, Hosh essaya de communiquer avec Marguerite, mais il ne reçut aucune réponse. Le silence de sa jumelle l'inquiétait au plus haut point et il ne laissait plus de temps à ses troupes pour se reposer. Atteindre Lénacie le plus vite possible était sa priorité. Lorsqu'il distingua enfin la barrière de protection de la cité, le roi poussa un soupir de soulagement. Au même moment, sur sa droite, il vit surgir de la noirceur une dizaine de calmars géants.

Le spectacle était cauchemardesque. Chaque calmar avait la taille d'environ dix sirènes placées bout à bout et ses tentacules pouvaient entourer la moitié d'une baleine sans difficulté. Chaque ventouse, sur ces longs bras, avait la taille d'une carapace de tortue et les yeux, énormes, étaient d'un noir d'encre.

Plutôt que d'attaquer sur-le-champ, les monstrueuses créatures se placèrent entre la cité et la petite armée de Hosh. Adieu la sécurité que leur promettait le dôme de protection ! Le combat serait inévitable...

Tout à coup, le bracelet détecteur de trident du roi s'illumina et passa en quelques secondes du jaune au orange, puis au rouge.

Des sirènes armés de tridents et sur le point de tirer étaient donc à proximité.

Tandis qu'Hosh en venait à cette conclusion, il reconnut une vibration dans l'eau. Celle d'une sirène qu'il connaissait trop bien. Une vibration qu'il avait souvent esquivée dans les couloirs du château, pendant son enfance... La vibration d'une sirène qui n'aurait jamais dû se trouver à portée de sensation, mais bien à plus de huit mille kilomètres de là, dans la cité de Lacatarina...

Prenant une grande goulée d'eau, le roi cria sa rage de toute la puissance de ses poumons :

– JESSIE !!! Rappelle tes monstres ! Lénacie ne sera JAMAIS à toi ! »

Jessie entendit son cousin hurler au loin.

– Comme s'il avait des ordres à me donner, grogna-t-elle entre ses dents en dirigeant un de ses calmars directement sur Hosh.

Un lien si fort la reliait à son allié naturel qu'elle ressentit dans son bras droit le rayon du trident lancé par son rival. La douleur la brûla atrocement. Pourtant, elle savait que cette sensation n'était pas réelle, que c'était une invention de son esprit, mais l'ignorer lui demanderait une très grande concentration. Elle n'en avait pas le temps !

En envoyant un autre calmar sur la petite armée de son cousin, elle déplora de ne pas avoir Al à ses côtés. Son meilleur chantevoix aurait pu l'aider à contrôler la douleur. Comment sa cousine avait-elle réussi à le blesser aussi gravement ? Mystère.

Il n'était resté à Al que l'énergie nécessaire pour bloquer la communication télépathique entre les souverains lénaciens. Maintenant, Jessie devait se débrouiller seule.

« Presque seule... », se rappela-t-elle en jetant un regard complice à sa nouvelle alliée, qui avait changé de camp.

– Profite bien de ton dernier quart de chant dans cet océan, Hosh ! cria-t-elle avant d'éclater d'un rire machiavélique.

- 13 -

Contre-attaque

Marguerite avait quitté le manoir des chantevoix depuis une semaine. Une longue semaine sans nouvelles de son jumeau ni des deux équipes d'éclaireurs qu'elle avait envoyées.

La reine prenait son repas dans la grande salle en compagnie de sa famille et du chef de la sécurité lorsque Dave entra en catastrophe, un long morceau d'algue entre les mains.

– Lénacie court un grave danger ! cria-t-il en agitant la feuille d'algues.

Marguerite blêmit. Depuis quelque temps, elle s'attendait à une nouvelle de ce genre, mais elle espérait se tromper.

– Mes poissons-robots viennent de me prévenir qu'une forte activité règne à l'extérieur du mur de protection !

« Nous sommes attaqués par Jessie ! Envoie des gardes en renfort ! » entendit distinctement Marguerite dans sa tête au même moment.

Hosh était de retour !

Marguerite se tourna d'un coup vers son chef de la sécurité et annonça :

– Le roi a besoin d'aide immédiatement, de l'autre côté de la barrière !

– Côté est, spécifia Dave en consultant ses rapports.

– Des calmars ! claironna Occare en entrant à son tour dans la grande salle. Nos gardes sont attaqués par plusieurs calmars géants, je peux les sentir vibrer !

Lors du premier été de la course à la couronne, Marguerite avait appris que l'allié naturel d'Occare, le cachalot, était l'ennemi principal des calmars. C'était d'ailleurs grâce à un de ces cétacés que Marguerite avait pu se sauver du bassin maudit, où un calmar avait failli l'étouffer.

– Fais venir tes alliés, ordonna Dave à sa jumelle. Ils pourront certainement nous aider. À nos tridents, nous autres ! lança-t-il à l'intention de Damien, de Jexaed et d'Anpaan.

Marguerite *devait* aller au secours de son frère. Et vite ! Elle appela donc Flora et un second dauphin pour Occare. Son amie, les yeux fermés, se concentrait déjà à appeler des cachalots. Dès que les delphinidés furent arrivés, Marguerite prit les mains d'Occare et les joignit autour de l'aileron de Flora. Elle s'agrippa à l'autre dauphin et s'élança, en dirigeant ses deux alliés en même temps.

À ses côtés, son amie marmonnait une suite de mots sans queue ni tête dans une langue inconnue de Marguerite.

Lorsqu'elles arrivèrent à la frontière de la barrière de protection, Marguerite eut un aperçu de l'ampleur de la bataille qui faisait rage de l'autre côté. Habituellement, le dôme avait l'apparence d'un mur d'eau agité, qui bougeait si vite qu'il était impossible de voir à travers. Cette fois, le dôme avait plutôt l'apparence d'un théâtre d'ombres. Les éclairs de tridents qui fusaient de toutes parts laissaient entrevoir des monstres énormes. Il était inconcevable de traverser la barrière sans arme.

– Les cachalots arrivent ! affirma Occare.

Voilà tout ce que Marguerite attendait pour traverser la barrière et porter secours à son jumeau.

Une scène abominable l'attendait. Sous ses yeux, un groupe de quatre sirènes était prisonnier de l'énorme tentacule d'un calmar géant. Entouré de trois gardes, Hosh se défendait contre deux des bêtes terrifiantes. Il lançait rayon après rayon, avec énergie et rapidité.

Heureusement, les renforts lénaciens traversèrent le dôme à leur tour au même moment. Étrangement, les calmars battirent en retraite. La reine chercha des yeux la raison de ce comportement. Ce qu'elle aperçut lui arracha un sourire : les cachalots ! Un groupe de jeunes femelles – mesurant entre huit et onze mètres – s'élançait sur leurs ennemis.

– Joignons les rayons de nos tridents ! entendit-elle Hosh crier aux trois soldats qui l'entouraient.

Ils pointèrent leurs rayons orangés sur un des calmars, qui fut foudroyé sur place. Entretemps, les autres bêtes avaient entouré les gueules des cachalots de leurs longs tentacules, pour tenter de les maintenir fermées. Afin de ne pas blesser les alliés d'Occare, Marguerite donna l'ordre aux soldats lénaciens de retenir leurs rayons.

Grâce à de puissants coups de tête pour faire lâcher prise aux calmars, les cachalots réussirent à avoir le dessus. Sans attendre, ils se placèrent autour du roi et de ses troupes pour les protéger.

Un silence irréel suivit.

Un prédateur encore plus imposant venait de faire son apparition.

Une famille d'orques ! Ils foncèrent droit sur les cachalots, leur arrachant sans difficulté des lambeaux de chair au passage.

Marguerite n'était pas dupe et elle se doutait que l'arrivée des orques n'avait rien à voir avec le hasard. La seule personne qu'elle connaissait qui parvenait à les contrôler était Leila...

« Elle a rejoint le camp ennemi, pensa-t-elle tristement. Mais qu'aurait-elle bien pu faire d'autre ? Elle ne pouvait pas deviner que je lui aurais pardonné sa trahison... »

La reine savait que quelques orques pouvaient disséminer sans peine un groupe de jeunes cachalots femelles, puisque leurs dents n'apparaissent pas avant l'âge de dix ans. Ces femelles avaient donc pour unique défense leurs puissants coups de queue. Ce qui n'était pas suffisant face à un tueur sanguinaire comme l'orque...

Soudain, un miracle se produisit en faveur des Lénaciens : venant de la surface, un cachalot mâle, aux dents aiguisées comme des lames de couteau, vint secourir les femelles. Avec férocité, il fit fuir les orques, sauvant par la même occasion Hosh et les soldats toujours vivants. Marguerite poussa un soupir de soulagement et s'élança vers son jumeau, qu'elle prit dans ses bras. Elle était passée à une écaille de le perdre.

La reine fit ensuite un rapide décompte et elle constata tristement que plus d'une vingtaine de soldats y avaient laissé leur vie.

À aucun moment, depuis qu'elle avait traversé le dôme, Marguerite n'avait vu un Lacatarinien. Pourtant, elle se doutait qu'ils étaient là, tapis quelque part dans l'obscurité des fonds marins ou derrière les collines de sable entourant la cité. La souveraine savait que cette première attaque d'alliés naturels n'était que le début. Elle connaissait trop bien Jessie. Le repos serait sûrement de courte durée...

* *
*

Les souverains donnèrent des directives à leur chef d'armée de sirènes afin qu'aucun Lénacien ne soit autorisé à sortir de la cité. En moins d'un chant, la protection du dôme fut accrue et l'armée d'alliés naturels, prête à combattre.

« J'espère que nous aurons suffisamment d'effectifs... », soupira la reine pour la énième fois.

* *
*

Quelques chants plus tard, Céleste entra à vive allure dans le bureau de Marguerite.

– On a un problème près du dôme, du côté sud, annonça-t-elle gravement. Tous les habitants qui s'approchent, ne serait-ce qu'à un mètre de la barrière de protection, sont brûlés. Le centre de soins est débordé ! Ce sont des méduses. Une quantité phénoménale de méduses ! Leur banc est si gros que nous n'arrivons pas à en mesurer l'étendue.

« Ça y est ! Voilà la reprise des hostilités que je redoutais, pensa la reine. Cette fois, au moins, nous sommes prêts ! »

Elle donna l'ordre d'envoyer les tortues luth, les espadons et les poissons-lunes qui faisaient partie de leur armée. Ces animaux se nourrissaient de méduses et pourraient les aider.

– Céleste, avertis les membres du grand conseil, mes cousins et Dave. Que l'armée de sirènes se tienne prête à entrer en scène ! ordonna-t-elle tout en ceinturant sa taille de quelques bandes de tissu de guerre.

« Hosh, Jessie contre-attaque ! Je vais déclarer l'état d'urgence dans la cité. Je te rejoins dès que possible ! » envoya-t-elle mentalement à son jumeau, qu'elle savait en compagnie de Pascale depuis son retour.

- 14 -

Le trident de Poséidon

Les prédateurs des méduses bataillaient depuis deux chants. Ils avaient fait du bon boulot, mais il en restait encore trop pour que les soldats puissent sortir de la cité sans danger. La taille également entourée de bandes de guerre, Hosh donna l'ordre qu'on envoie un banc de raies torpilles, capables de produire des décharges électriques maximales de deux cent trente volts.

Lorsqu'il eut enfin la confirmation que les méduses s'étaient éloignées, le roi sortit du dôme de protection du côté est avec quatre-vingts pour cent de ses soldats. Il établit un poste de commandement temporaire près de la barrière, puis il posta le reste de ses troupes sur toute la surface du dôme. Laisser la barrière de protection des côtés nord, sud et ouest sans surveillance n'était pas une option envisageable !

Hosh était extrêmement nerveux. Il ignorait ce qui l'attendait et s'il serait à la hauteur de la situation. Le souverain de Lénacie avait toujours su qu'il n'était pas fait pour la guerre. Toute son enfance, il avait rêvé d'un règne calme et sans heurts. Apparemment, Jessie avait décidé qu'il en serait autrement...

Un nœud se forma dans sa gorge lorsqu'il vit une ombre se dessiner au loin.

Une ombre immense.

L'armée bestiale de Jessie.

Le roi repéra d'abord une quantité impressionnante de murènes, de thons et de pieuvres. Il réagit aussitôt en appelant Souika et Nic pour qu'ils s'occupent des murènes.

En attendant que les deux joailliers le rejoignent, Hosh appela des requins, prédateurs naturels des pieuvres. Il entreprit ensuite de trouver une solution aux thons, qui mesuraient près de trois mètres et pesaient quelques centaines de kilos chacun. On ne leur connaissait pas de prédateurs, à part les requins qui seraient déjà bien occupés avec les pieuvres. Il faudrait donc que les sirènes s'en chargent.

« Je vais envoyer les poissons robotisés de Dave sur la ligne de front, pour faire diversion, décida-t-il. Les thons nagent toujours en bancs. Peut-être que plusieurs d'entre eux suivront spontanément les robots loin d'ici. »

Souika et Nic arrivèrent alors au centre de commandement.

– J'espère qu'à vous deux, vous parviendrez à contrer le pouvoir d'Alicia..., leur dit Hosh. Je suis certain qu'elle est là, quelque part. Avant de sortir nos propres murènes de leurs enclos et de lui donner encore plus de munitions, nous devons voir si vous parvenez à contrôler les murènes que ma tante a entraînées jusqu'ici.

Les deux sirènes s'avancèrent vers l'ennemi en tendant les mains devant eux, comme s'ils voulaient créer un lien avec les murènes par le biais de leurs paumes.

Lorsque l'écart s'amoindrit entre l'armée bestiale de Jessie et l'armée de sirènes de Hosh, les rayons de tridents jaillirent vers les animaux.

Hosh quitta le centre de commandement pour rejoindre ses soldats. Il lançait autant de rayons mortels qu'il le pouvait. Dès que le thon qu'il visait était foudroyé, le roi choisissait une nouvelle cible et recommençait. Pourtant, la marée de bêtes qui se dirigeait vers lui ne diminuait pas.

Tout à coup, le jeune souverain remarqua avec horreur que les poissons qui parvenaient à passer la ligne de défense lénacienne attaquaient la barrière de protection de la cité, tentant d'affaiblir le dôme !

De leur côté, Souika et Nic faisaient un excellent travail, mais ils n'arriveraient pas à retenir leur allié naturel indéfiniment. Le roi avait interdit aux soldats de tuer les murènes, car les joailliers seraient aussi touchés par leur douleur et cela affecterait leur concentration. C'est avec soulagement que Hosh entendit le chef de l'armée émettre une excellente idée : faire venir une énorme cage où enfermer les murènes temporairement. Souika s'occupa ensuite de ralentir les poissons pendant que Nic se concentrait sur une murène à la fois pour l'envoyer dans la cage.

Hosh eut également l'agréable surprise de voir plusieurs thons dévier de leur trajectoire pour aller chasser les méduses encore présentes. Jessie n'avait sûrement pas prévu qu'en obligeant une proie et un prédateur à se côtoyer dans la même armée, il y avait de fortes chances pour que l'un tente de manger l'autre !

Le roi vit sa jumelle traverser le dôme, suivie de près par Zhul, et il l'entendit appeler mentalement d'autres requins. Sentant que

Marguerite était le nouvel ennemi à abattre, les pieuvres s'élancèrent vers elle. Voyant que Marguerite maîtrisait la situation et que ses soldats prenaient lentement le dessus, Hosh décida de rejoindre Anpaan, qu'il avait mandé au centre de commandement. Il comptait se servir des connaissances d'aquarinaire de son cousin afin d'évaluer plus rapidement les forces ennemies et les meilleurs alliés naturels à leur opposer.

Au centre de commandement, le roi vit une sirène aux longs cheveux blancs qui s'apprêtait à se joindre à la bataille.

– GRAND-MÈRE !? Que fais-tu là ? Tu ne peux pas combattre !

Aïsha portait un protège-queue violet, un casque fait d'une carapace de tortue et une armure couverte d'écailles multicolores dures comme la pierre. Si son ensemble vestimentaire, pour le moins hétéroclite, faisait douter de sa capacité au combat, la détermination dans ses yeux ne laissait aucun doute quant à sa volonté de vaincre.

– Occupe-toi de ton armée, mon garçon, et laisse ton aïeule mener sa vie comme elle l'entend ! Alicia a ordonné la mort de mes enfants, jadis, et c'est aujourd'hui que je règle mes comptes. Je ne laisserai pas ma cité natale être envahie sans me battre ! Si je dois y laisser ma vie, ce sera avec honneur !

Hosh tourna les yeux vers Anpaan, souhaitant y trouver un soutien pour faire changer d'idée la vieille dame. Au lieu de cela, il ne vit qu'une profonde admiration dans l'expression de son cousin.

« Vivre et laisser vivre... », pensa Hosh.

Le cœur rempli d'appréhension, il décida de laisser sa grand-mère combattre comme elle l'entendait.

À ses côtés, Anpaan prit sans tarder le pouls de la bataille. C'était un guerrier époustouflant dont les connaissances sur la faune marine dépassaient tous les espoirs de Hosh. Son cousin avait la faculté de reconnaître d'un simple coup d'œil les animaux marins envoyés par leurs rivaux et de conseiller judicieusement Hosh en un temps record.

Rapidement, l'eau de l'océan fut rougie de sang.

Jessie ne semblait pas faiblir, car elle les bombardait d'une panoplie de poissons dangereux. Du coin de l'œil, Hosh vit des barracudas et des poissons-chirurgiens faire des ravages dans les rangs de son armée... Chaque fois qu'un de ses sujets tombait au combat, son cœur se serrait davantage.

Le roi prit alors la difficile décision d'ordonner l'ouverture des enclos de la Zone Rouge.

* *
*

Deux chants plus tard, les bancs de pieuvres et de thons n'étaient plus qu'un vague souvenir, et plusieurs autres espèces avaient également été éliminées. Les requins contrôlés par Marguerite avaient l'estomac sur le point d'exploser tellement ils étaient rassasiés. Sa jumelle avait fait du bon travail !

Toutefois, la victoire des Lénaciens sur une partie de l'armée d'alliés naturels de Jessie fut loin de leur procurer le repos espéré. Au contraire, elle eut pour conséquence une augmentation du nombre de soldats lacatariniens grossissant les rangs de la bataille. Les soldats lénaciens étaient de plus en plus fatigués et les armées de Jessie gagnaient rapidement du terrain.

– Nous aurons besoin de la population, affirma le roi à Marguerite, qui venait d'entrer au centre de commandement. Les soldats ont fait un excellent travail, mais la bataille demeure inégale, car les effectifs dont nous disposons ne sont pas suffisants. L'armée de Jessie doit faire le double de la nôtre !

Hosh aurait tant souhaité ne pas en venir à cette solution... Mettre en danger la vie de citoyens ordinaires était inconcevable à ses yeux.

– Nous étions pourtant bien préparés, soupira Marguerite en observant le champ de bataille.

– Il faut nous rendre à l'évidence, nous ne l'étions pas assez, rétorqua son jumeau. N'oublie pas que Jessie peaufine probablement son plan depuis des années.

Hosh et Marguerite traversèrent le dôme vers la cité afin d'annoncer l'état d'urgence de catégorie deux. Cela signifiait que tout sirène apte au combat devait se joindre à l'armée lénacienne.

* *
*

L'appel aux armes fonctionna et une très grande partie de la population lénacienne se présenta aux abords de la barrière de protection dès le premier quart de chant. Certains étaient armés de tridents et d'autres, de différents objets du quotidien trouvés dans leur maison. Hosh vit Damien, Una, Brooke, Céleste, Dave, Occare, Jexaed et Pascale rejoindre les troupes.

En voyant sa bien-aimée prête à combattre, la réalité de la guerre frappa le roi. Tout cela prenait soudain une tournure très personnelle...

– Il est hors de question que vous combattiez à l'extérieur ! déclara-t-il de son ton le plus autoritaire. Vous êtes ma famille et je m'en voudrais éternellement s'il vous arrivait malheur ! Je vais demander qu'on vous attribue des fonctions à l'intérieur de la cité.

Una s'approcha de son fils.

– Tu as déclaré l'état d'urgence, Hosh. Nous sommes *tous* appelés à grossir les rangs de l'armée, c'est notre devoir. Tu sais bien que tu ne peux pas décider de notre destin, même si tu le souhaites... et même si tu es le roi ! Chacun de nous aime ce royaume de tout son cœur et nous le défendrons jusqu'au bout.

Le roi dut admettre que sa mère avait raison. Sa réaction était égoïste... Donnant la main à sa fiancée pour la garder près de lui durant la bataille, Hosh se tourna vers sa jumelle.

– C'est le moment de mettre notre plan à exécution ! annonça-t-il.

Comme convenu, Marguerite dirigerait la moitié des troupes à l'extrémité ouest du champ de bataille, tandis que Hosh superviserait l'autre moitié, du côté est. Dès que tous furent prêts, il donna le signal de départ et les Lénaciens traversèrent la barrière en même temps. L'effet fut saisissant !

Sans attendre, les citoyens se jetèrent dans la mêlée.

Pourtant, cela ne sembla pas décontenancer Jessie, qui répliqua en envoyant une foule de créatures bizarres sur eux.

« Par Poséidon, combien de poissons a-t-elle encore sous sa nageoire ?! se découragea Hosh. Moi qui pensais connaître toutes les variétés de poissons présentes dans l'océan, j'ai eu tort... », pensa-t-il en voyant venir vers lui une espèce de poisson, aux longues dents affûtées et apparentes, qui lui était inconnue.

Les écailles de leur peau grise ressemblaient à de la pierre et leurs immenses yeux proéminents laissaient deviner qu'ils venaient des abysses, où ils vivaient dans le noir absolu. Les rayons de tridents furent déviés dès qu'ils touchèrent la peau des poissons.

« Si on ne peut pas en venir à bout avec nos tridents et qu'on ne connaît pas leurs prédateurs, comment allons-nous les tuer ? » s'inquiéta Hosh.

Soudain, le roi aperçut sa grand-mère Aïsha passer devant lui à vive allure en ricanant.

– Tel est pris qui croyait prendre ! Jamais je n'aurais cru avoir la chance de vous revoir une seconde fois de mon vivant, mes chers petits...

Elle avançait, sûre d'elle, un sourire victorieux sur les lèvres. Elle ouvrit grand les bras et fit un mouvement vers le sol, comme si elle montrait aux poissons abyssaux le chemin pour retourner dans leur habitat naturel. Hosh n'en crut pas ses yeux lorsqu'il constata que les affreux poissons obéissaient au doigt et à l'œil à sa grand-mère.

– Regardez comme elle est fière de déjouer les plans de Jessie grâce à ses alliés naturels ! s'exclama Jexaed. TU ES MAGNIFIQUE, GRAND-MÈRE ! BIEN JOUÉ ! lui cria-t-il.

Les Lénaciens poussèrent un puissant cri de conquérant. Aïsha venait de leur donner une énergie nouvelle.

– À L'ATTAQUE ! renchérit Hosh.

Au commandement de leur roi, les sirènes s'élancèrent pour charger leurs ennemis. Partout, on pouvait voir un Lénacien engagé dans un combat féroce contre une bête ou un Lacatarinien. Les faisceaux des adversaires se rencontraient et le plus fort l'emportait, blessant gravement, voire mortellement, son vis-à-vis. Le combat était violent, pire que tout ce que Hosh avait pu imaginer.

* *
*

« Ce ne sera pas suffisant », se répéta Hosh pour la centième fois trois chants plus tard. Les Lacatariniens continuaient leur avancée et les blessés se comptaient par centaines. L'armée lénacienne perdait sans cesse du terrain et le roi était à court d'idées nouvelles pour frapper l'ennemi et lui faire vraiment mal.

Quillo rejoignit son ami au poste de commandement, sur le champ de bataille. Il tenait un fabuleux trident à la main.

– Je l'ai trouvé ! annonça-t-il, victorieux.

– De quoi parles-tu ? demanda le roi, se concentrant à évaluer la meilleure stratégie pour utiliser la vingtaine d'alliés naturels qui devait servir en dernier recours.

– Ce que Coutoro cherchait dans l'ancienne chambre d'Usi ! J'étais certain que ça devait être d'une importance capitale si Alicia avait pris le risque d'envoyer quelqu'un le récupérer. Après nos recherches dans ton bureau, j'avais l'impression que, tout ce temps, un détail nous avait échappé. Premièrement, nous n'avons pas cherché au bon endroit ! En prenant possession des appartements d'Usi, tu as inversé le bureau et la chambre. Ce faisant, tu as déplacé des meubles, car tu trouvais les pièces trop chargées. Deuxièmement, te rappelles-tu l'histoire des pattes creuses où des documents secrets avaient été cachés ?

– Comment pourrais-je l'oublier ? dit Hosh en relevant la tête de son rouleau d'algues pour prêter attention à son meilleur ami.

– En partant de ce principe, je me suis dit que d'autres meubles avaient peut-être également servi de cachette. Alors que je m'apprêtais à répondre à ton appel pour l'état d'urgence, j'ai choisi de retourner au palais et de vérifier mon hypothèse. Je me suis rappelé le commentaire de Jexaed, dans la salle aux écrevisses, concernant la présence d'une arme.

– Oui...

– Eh bien, en y entrant, j'ai remarqué que plusieurs meubles de l'ancien bureau d'Usi s'y trouvaient. Je les ai démolis et, à l'intérieur de l'un d'eux, j'ai trouvé ce trident !

Comme hypnotisé, Jexaed avait quitté la bataille et s'approchait de l'arme. Il tendit les mains pour la toucher. Ses gestes étaient lents et délicats, comme s'il manipulait un objet de verre extrêmement fragile, qui pouvait se briser au moindre mouvement brusque.

– Le trident de Poséidon..., murmura-t-il, subjugué.

– Impossible ! s'exclama Hosh. Ce trident est une légende !

Le trident de Poséidon était l'arme la plus puissante jamais créée par un maître tritonnien. Sa réputation était aussi célèbre et légendaire que celle de la pierre noire de Langula. Cette arme avait servi dans les plus grandes batailles de l'histoire.

Il y avait près de deux mille ans, le roi Géron avait conquis l'ensemble des territoires de l'océan Léna grâce à ce trident. D'est en ouest et du nord au sud, il avait été le maître incontesté. Voulant conquérir également l'océan Ancia, il s'était servi du trident pour creuser une ouverture dans les terres, vis-à-vis du 9e parallèle, afin de créer une route plus rapide et directe qui relierait les deux océans. Alors qu'il ne restait plus qu'une mince bande de terre à détruire, un groupe de sirènes avait réussi à lui ravir l'arme et à la cacher dans un endroit secret. Jusqu'à ce jour, on ne l'avait jamais retrouvé.

– Évidemment, Alicia ne pouvait pas sortir le trident de sa cachette sous les yeux de tout le monde lors de son bannissement de la cité, conclut Quillo en laissant Jexaed manipuler l'arme à son tour.

– Coutoro ne devait pas connaître la grande valeur de ce qu'il venait chercher, sinon il n'aurait pas abandonné si facilement, émit Hosh. Jexaed, saurais-tu t'en servir ?

– Je l'ignore. Selon ce qu'on dit, le trident de Poséidon est l'arme la plus difficile à manier qui ait jamais existé. Elle demande une capacité de concentration hors du commun et un sens inné du maniement de trident.

– Alors personne n'est mieux placé qu'un maître tritonnien pour y parvenir ! déclara le roi. Découvre vite les pouvoirs de cette arme afin de t'en servir pour aider ta cité natale à se défendre contre l'ennemi ! Dès que ce sera fait, va prêter main-forte à Marguerite à l'ouest !

Jexaed prit l'arme fermement entre ses mains et une aura bleue apparut au bout des dents du trident. Il n'y avait aucun doute : il s'apprêtait à faire une différence dans cette guerre.

- 15 -

L'armée secrète

Du côté ouest, en plein cœur du champ de bataille, Marguerite avait cessé de se soucier de l'eau pleine de sang qu'elle devait filtrer avec ses branchies. Elle ne portait plus attention aux morts qui l'entouraient et avait mis la fatigue de côté pour se concentrer sur une seule chose : survivre ! Heureusement, Damien combattait à ses côtés et elle n'avait pas à vivre avec la peur qu'il soit blessé ou qu'il meure loin d'elle. Bien sûr, le danger restait présent, mais voir son amoureux la rassurait.

À chaque chant qui passait, les habitants qui avaient été retenus dans la cité pour mettre les enfants à l'abri traversaient le mur de protection pour se joindre à la bataille. Malgré cela, la reine était assez lucide pour admettre que les forces lacatariniennes étaient de beaucoup supérieures aux leurs. Pendant combien de temps parviendraient-ils à les maintenir à bonne distance de la cité ? Et, surtout, au prix de combien de vies sacrifiées ? Les larmes montaient aux yeux de Marguerite lorsqu'elle remarqua son cousin Jexaed s'avancer calmement vers le camp ennemi. Dans ses mains, son trident brillait d'un bleu cristallin unique et phénoménal. Elle le vit lever le bras et lancer un premier rayon. Le Lacatarinien qui le reçut mourut instantanément, les yeux et la bouche ouverts de surprise. L'étonnement sur le visage de Jexaed indiquait que ce n'était pas l'effet recherché. Il envoya ensuite quelques rayons vers un groupe de barracudas qui protégeait la ligne de front de l'armée de Jessie. Les bêtes connurent le même sort.

Le bras tendu, Jexaed se mit à faire des cercles avec le trident et un rayon bleu se mua en jaune afin de former un écran protecteur devant lui. Tous les rayons ennemis qui frappaient ce mur étaient déviés vers ceux qui les avaient lancés.

– Quelle est donc cette arme ? murmura Marguerite, abasourdie.

En quelques minutes, l'attention de tous les combattants fut tournée vers Jexaed et des murmures vinrent aux oreilles de Marguerite :

« Poséidon... le trident perdu... l'arme la plus puissante jamais créée... le trident du pouvoir... »

La jeune femme se souvenait d'avoir entendu parler de cette arme fabuleuse. Hosh lui avait dit qu'il s'agissait d'une légende, mais Marguerite avait toujours cru en son existence. En onze ans, elle avait appris que chaque mythe tirait sa source d'un fond de vérité. Il fallait une force mentale extraordinaire pour se servir de ce trident. Que son cousin y parvienne était un véritable exploit !

– Je me demande combien de temps il sera capable de le manier avant d'être complètement épuisé ? se questionna Zhul à ses côtés.

Il fallait profiter de cet avantage nouveau sans tarder et faire reculer les armées de Jessie. Grâce au trident, Jexaed pourrait sans doute éliminer le reste des poissons dangereux afin que les deux camps se battent à armes égales.

« Hosh ! appela Marguerite par télépathie. C'est le moment d'encourager tes troupes à foncer, car elles devraient faire face à moins d'alliés ennemis ! »

Les souverains coordonnèrent leurs directives et, plutôt que de se défendre sans arrêt contre les attaques, les sirènes foncèrent sur leurs ennemis, dans une offensive sans merci. Surprise, l'armée adverse recula en laissant ses alliés naturels sans protection. Jexaed s'empressa de les maîtriser. Ensemble, les Lénaciens gagnèrent du terrain et vinrent à bout des derniers prédateurs marins. La chance était enfin avec eux !

Cependant, la puissance du trident de Jexaed diminuait rapidement. Marguerite pouvait voir de profondes rides de concentration creuser le front de son cousin. Soudain, l'écran jaune qui protégeait Jexaed s'estompa et il perdit conscience sous l'effort. On dut le soutenir pour le ramener derrière le dôme protecteur de la cité.

*   *
*

– Arrrrgh !!! cria Jessie avec rage.

Tous les alliés naturels de son armée avaient été éliminés. Les pertes étaient immenses.

– Vous croyez m'avoir battue ? Voyons voir comment vous réagirez à ma petite surprise..., murmura-t-elle sur un ton haineux.

Puis, d'une voix puissante, elle appela ses alliés restés cachés depuis le début des hostilités.

– Frolacols, le moment est venu de reprendre ce qui vous appartient de droit ! Les Lénaciens vous ont volé vos richesses et ils planifient depuis des années d'exterminer votre peuple. Vous savez tout ce que j'ai fait pendant mon règne pour vous protéger ! À votre tour de me rendre service...

Un chant de reconnaissance retentit. Jessie reprit la parole en levant le poing :

– Si vous voulez la liberté pour vos enfants des générations futures, il faudra vous battre ! Allez-y !

Habile manipulatrice, Jessie avait su attiser la flamme de vengeance des frolacols...

* *
*

Un étrange chant retentit dans le camp adverse et Marguerite eut la surprise de voir les Lacatariniens se replier.

Puis une peur incommensurable figea la jeune reine sur place. Quelque trois cents frolacols se regroupaient devant le dôme. Après toutes ces années à les chasser pour les éliminer de l'océan, Marguerite n'aurait jamais cru qu'ils avaient survécu en si grand nombre !

Le dos voûté, les frolacols s'approchaient en lançant des cris de guerre qui glaçaient le sang. Les traits de leur visage étaient déformés par la haine. La main de Marguerite se mit à trembler autour de son trident. Elle était parvenue à vaincre des poissons, des mammifères marins et même des sirènes du camp ennemi, mais, devant ces créatures venues directement de l'enfer, elle craignait de ne pas s'en sortir vivante !

Les frolacols étaient bien entraînés et sans pitié. Zhul et Damien firent de leur mieux pour protéger Marguerite le plus longtemps possible, mais, bientôt, elle dut engager le combat. Rayon contre rayon, la reine tenait un ennemi à distance. Les yeux injectés de sang du frolacol et son regard fou déstabilisèrent la jeune femme et son rayon perdit de l'intensité quelques secondes. Un sourire de victoire apparut aussitôt sur le visage de l'affreux sirène grisâtre. Le rayon de celui-ci changea de couleur et Marguerite pensa : « Ce sera lui ou moi ! » Elle ferma les yeux et riposta avec force, frappant mortellement la créature en plein torse.

Au même moment, Marguerite poussa un cri de douleur ; un rayon violet provenant d'un nouvel adversaire avait frôlé son épaule droite, fendant sa peau. Zhul se glissa devant elle et riposta. Il tirait deux fois plus vite que n'importe qui.

Protégée par son garde du corps, Marguerite arracha une des bandes de tissu qui entouraient sa taille et l'enroula autour de son épaule pour diminuer le saignement. Ce faisant, elle leva les yeux et, au milieu de la bataille, elle reconnut un visage familier qui la répugnait au plus haut point : Alicia. Protégée par cinq soldats, elle avançait avec assurance, un trident à la main. Marguerite suivit son regard et aperçut Una qui lui tournait le dos, quelques mètres plus loin. Paniquée, elle cria le nom de sa mère dans l'espoir qu'elle l'entendrait, au milieu de la cohue.

Les dents du trident d'Alicia commençaient à rougir et Marguerite, sans réfléchir, s'élança vers Una. Pressentant le danger, la reine mère tourna la tête et envoya sur-le-champ un rayon de trident turquoise en direction de la femme de son frère. Alicia fit aussitôt apparaître un écran de protection devant elle, qui bloqua le rayon d'Una et elle riposta en lui envoyant à son tour un rayon orangé. Una l'esquiva et frappa à nouveau. Une étrange danse se déroulait sous le regard de Marguerite, impuissante. Les yeux dans les yeux, Alicia et Una attaquaient et se protégeaient tour à tour, sans relâche. Brooke voulut aller prêter main-forte à sa femme, mais Coutoro l'en empêcha. Un duel s'engagea entre les deux sirènes.

La douce Una n'existait plus ; elle avait fait place à une vaillante guerrière. Son corps était tendu, sa mâchoire serrée, et son regard dur. Elle avait augmenté la force de son rayon et celui-ci avait pris une teinte blanche. La reine mère gagnait du terrain. Marguerite savait qu'elle ne défendait pas seulement sa vie, mais qu'il s'agissait aussi de son ultime combat contre la femme responsable de tant de morts et de malheurs. Même si Una avait permis à Alicia de quitter Lénacie en douce un peu plus de huit ans plus tôt – dans un élan d'amour pour son jumeau –, jamais elle ne lui permettrait de revenir !

Comme pour confirmer les pensées de sa fille, la reine mère changea encore la couleur de son rayon pour un jaune vif. Il toucha mortellement Alicia, qui n'avait, cette fois, pas eu le temps de se protéger. Le corps inanimé de la femme d'Usi coula en tournoyant vers le fond de l'océan. Dans un cri de désespoir et de vengeance, Coutoro abandonna Brooke et pointa son trident vers Una. Ce faisant, il reçut de plein fouet le rayon mortel de son adversaire, à qui il venait de tourner le dos, mais, auparavant, il eut le temps d'envoyer un coup très puissant vers l'ancienne reine de Lénacie. Au ralenti, Marguerite vit Aïsha s'interposer entre sa belle-fille et la décharge mortelle. Elle reçut le rayon en pleine poitrine.

Le cœur de Marguerite se serra si fort que le souffle lui manqua.

Dévastée, la reine chercha des yeux son époux. Elle vit plutôt Dave et Pascale nager vers elle à toute vitesse.

– Nous avons besoin de toi ! lança l'ingénieur, ignorant tout du drame qui venait de survenir.

Marguerite les suivit en tentant tant bien que mal de retenir ses larmes. La guerre n'était pas finie, elle devait garder son sang-froid !

Ils passèrent la barrière de protection et entrèrent dans la cité. En chemin, Pascale expliqua sa théorie à son amie.

– Entre l'attaque de calmars et le début de la guerre, Hosh a eu le temps de me raconter qu'il avait trouvé de jeunes siréneaux frolacols abandonnés dans les abysses. Lorsqu'il a voulu les ramener à Lénacie, ils sont morts après à peine un chant de nage. Il a émis l'hypothèse que c'est la différence de température de l'eau ou la différence de pression qui les a tués. Nous ne pouvons pas changer la pression, mais Dave pense avoir trouvé un moyen de faire varier la température !

– Tu te souviens de mon système de tuyaux qui transporte l'eau bouillante jusque dans la cité ? renchérit Dave. Celui-là même dont je me sers pour faire tourner la turbine qui recharge mes poissons-robots ?

« Ingénieux ! » pensa Marguerite, à nouveau alerte.

Ne restait plus qu'à trouver une façon de transporter l'eau chaude au cœur de la bataille...

Mais c'était sans compter le fait que Dave y avait déjà pensé !

* *
*

Avec l'aide de la reine, Dave récupéra les aspirateurs à limaces. Pendant ce temps, grâce à son fabuleux talent de minutie avec un trident, Pascale taillait des peaux de baleine en un tour de main. Marguerite et son ami ingénieur renforcèrent chaque sac d'aspirateurs avec deux de ces peaux, les rendant ainsi parfaitement étanches.

Dave remplit les réservoirs d'eau bouillante, puis il inversa le moteur des aérodynamos afin de pouvoir expulser l'eau sur les frolacols. On distribua ces armes bien particulières à des citoyens volontaires, qui iraient offrir du renfort à leurs compatriotes sur le champ de bataille.

* *
*

Marguerite et Pascale laissèrent Dave gérer la suite des opérations et elles reprirent la direction du dôme. Les deux sirènes entendirent alors quelqu'un les héler avec familiarité. Elles se retournèrent et eurent la surprise de voir Pascal nager vers elles ! Le syrmain avait la peau basanée et les cheveux blonds et courts. Il était entouré d'une dizaine de marins. La reine n'en croyait pas ses yeux ! Pascale s'élança vers son frère jumeau et lui sauta au cou. Il y avait plus de neuf ans qu'ils ne s'étaient pas vus. Pascal ferma les yeux de bonheur en resserrant ses bras autour de sa sœur.

– Les petits poissons de Dave m'ont prévenu que vous faisiez la fête sans moi ! lança-t-il en guise d'explication, sourire en coin.

– Le chargement de tridents a coulé avec le baleinobus, tu n'es donc pas armé... Mais comment as-tu réussi à traverser le champ de bataille pour arriver jusqu'ici en un seul morceau ? Et comment as-tu pu franchir le dôme de protection en étant banni ?

– Grâce à Cap'tain Jeff ! révéla fièrement Pascal en posant la main sur le médaillon qui pendait à son cou.

« La cinquième clé ! » comprit Marguerite. Elle avait immédiatement reconnu le passe-partout manquant qui donnait accès au passage secret souterrain reliant les sous-sols du palais à l'océan. Au nombre de cinq, ces bijoux d'apparence différente avaient changé de main au fil des ans. Hosh et sa jumelle en possédaient trois et ils savaient que le professeur Bloom détenait le quatrième. Ne pas connaître l'identité du propriétaire de la dernière clé leur avait causé bien des inquiétudes.

– Avant de quitter mon navire, poursuivit Pascal, je me suis assuré que l'information selon laquelle Lénacie était attaquée allait circuler sur terre. J'espère que les renforts arriveront à temps !

* *
*

La technique de Dave était bonne et, comme prévu, les frolacols réagissaient mal à l'eau chaude qu'on leur envoyait. Leur peau rougissait comme la carapace d'un homard plongé dans l'eau bouillante et des cloques apparaissaient un peu partout sur leur corps grisâtre. Ils s'éloignèrent donc spontanément des Lénaciens armés d'aspirateurs, préférant battre en retraite plutôt que de subir de graves lésions ou de mourir.

D'emblée, Céleste prit part à l'opération. Nageant plus vite que n'importe quel Lénacien et ayant une endurance à toute épreuve, elle parvenait à accomplir le travail de trois sirènes à elle seule. Dès qu'il la vit mettre ainsi sa vie en danger, Quillo s'élança pour protéger sa jumelle des rayons de tridents ennemis, mais aussi pour l'aider à se frayer un chemin pour entrer et sortir du dôme rapidement lorsqu'elle allait faire le plein d'eau bouillante. Leur duo fit des ravages au sein de l'armée de frolacols.

Toutefois, cette nouvelle stratégie ne leur permettrait probablement pas de gagner la guerre : les frolacols étaient encore très nombreux et les allers-retours pour remplir les aspirateurs dans la cité prenaient beaucoup trop de temps.

La jeune souveraine s'apprêtait à venir en aide à un sirène encerclé par trois frolacols, non loin d'elle, lorsqu'un hurlement de douleur la fit se retourner. Pascal était blessé !

Toute la moitié gauche de sa nageoire caudale avait disparu ! Le sang se répandait à une vitesse folle autour de son ami. Voyant que

Pascale était en plein duel et qu'elle ne pouvait pas venir en aide à son jumeau, Marguerite arracha de sa taille la dernière bande de tissu qui lui restait et elle l'attacha maladroitement à la nageoire de Pascal, en serrant le plus possible pour arrêter l'hémorragie. Elle prit ensuite le syrmain sous les aisselles et nagea aussi vite qu'elle put en direction du dôme de protection. Elle le traversa et hurla de toutes ses forces :

– VENEZ M'AIDER ! VITE !

Deux sirènes soignantes s'élancèrent vers eux avec un assur portatif et plusieurs bandes de tissu de guerre autour de la taille. Pascal se tordait de douleur et il blanchissait de seconde en seconde.

« Non, non, non, non, non... tu ne peux pas mourir ! » ne cessait de se répéter Marguerite.

Dès que la plaie de Pascal fut convenablement bandée, les deux femmes prirent la direction du centre de soins, laissant Marguerite seule et déboussolée.

Partout autour de la reine, des sirènes soignants se déplaçaient en transportant silencieusement des morts vers une bâtisse où on les envelopperait dans des algues. D'autres sirènes, gravement blessés, gémissaient sur des assurs portatifs alors qu'on les conduisait au centre de soins. Des hommes, des femmes et même des enfants nageaient avec peine, les bras et le torse couverts de brûlures, de morsures ou de plaies.

« Je crois que le pire, pensa Marguerite, c'est ce silence pesant... Cela signifie que la souffrance a atteint l'esprit des citoyens. »

Si les chants précédents avaient été remplis de cris, de plaintes et de pleurs, on entendait maintenant les tortues nager.

– Un silence de mort..., soupira la jeune reine.

La triste scène fut interrompue par Hosh, projeté à travers la barrière de protection par un ennemi.

– Marguerite ?! Que fais-tu là ? Tu es blessée ?

– Non, pas moi, mais Pascal, oui... et gravement !

Tout le sang se retira d'un coup du visage de Hosh.

– « Capitaine » Pascal, ajouta Marguerite en comprenant la méprise de son frère, qui pensait à sa fiancée. Le bilan des morts est tellement lourd...

– Je sais, s'étrangla son jumeau, l'air affligé. Je viens d'apprendre que madame de Bourgogne et Hal sont décédés... et Brooke serait entre la vie et la mort.

– Oh non ! sanglota la reine sous le coup de ces affligeantes nouvelles.

– Les blessés se comptent par centaines, soupira Hosh. Il faut nous rendre à l'évidence, nous ne sommes pas de taille, Marguerite. J'ai cru qu'avec Jexaed et le trident de Poséidon, la victoire était à notre portée. Grâce à lui, les Lacatariniens n'ont plus aucun allié naturel pour les aider à se défendre. Toutefois, notre cousin est trop épuisé pour recommencer à manier l'arme et personne ne parviendra à faire briller ne serait-ce qu'une des dents de ce puissant trident. Nous allons devoir prendre une décision... Il est peut-être temps de nous rendre.

– Nous ne pouvons pas livrer Lénacie à Jessie ! C'est hors de question !

– Nous ne pouvons pas non plus continuer à envoyer notre peuple à l'abattoir ! renchérit Hosh.

Les souverains gardèrent le silence, accablés.

« Comment accepte-t-on la défaite ? » se demanda la reine.

Soudain, Marguerite se souvint des paroles d'un explorateur que Hosh lui avait rapportées quelques semaines auparavant. « De toutes les découvertes que nous avons faites, la plus phénoménale est sans contredit celle d'une bête défiant l'imagination ! Un requin gigantesque, de près de vingt mètres de long ! Il aurait pu facilement détruire le sous-marin d'un seul coup de mâchoire... »

– Et si nous tentions d'appeler le requin préhistorique des abysses ? proposa Marguerite, en dernier recours.

Hosh eut un sourire de connivence avec sa sœur.

– Ensemble ? demanda-t-il.

– Ensemble ! répondit la reine en lui tendant la main.

Et pendant que les Lénaciens défendaient leur vie et celle de leurs enfants ; pendant que les frolacols gagnaient du terrain ; pendant que Jessie célébrait déjà sa victoire, Hosh et

Marguerite firent le vide dans leur esprit. Les yeux fermés, ils firent abstraction de tout ce qui les entourait et se concentrèrent sur cet allié naturel légendaire.

- 16 -

Venu des profondeurs

Hosh ressentit soudain une aura de puissance extraordinaire. La connexion n'était pas aussi facile qu'avec le grand blanc et elle était hachurée, un peu comme si leur allié bloquait le contact puis l'autorisait en alternance. Le roi avait de la difficulté à bien saisir la nature du requin préhistorique, mais sa jumelle et lui poursuivirent malgré tout leur appel pendant de longues minutes.

Leur appel lancé, les souverains regagnèrent le champ de bataille. Au loin, de nombreux chars lacatariniens attendaient pour entrer dans la cité en vainqueurs. À mi-chemin entre ceux-ci et le dôme, les soldats lénaciens tenaient encore en respect les soldats lacatariniens et les frolacols. Hosh savait pourtant que son armée épuisée ne ferait plus le poids bien longtemps.

Afin d'insuffler une dernière vague de courage à leurs sujets, Hosh et Marguerite firent circuler l'information selon laquelle des renforts étaient en route. Le résultat ne se fit pas attendre ! Dave fut le premier à lancer un cri à quelques mètres des souverains.

– POUR LÉNACIE !

Puis les mots furent repris par les citoyens et ils gagnèrent tout le champ de bataille. Une fois, deux fois, trois fois... les Lénaciens ne cessaient de les répéter et ils martelaient ainsi le rythme des combats.

Hosh sentait que le mégalodon approchait. Cependant, ce qu'il percevait de ce prédateur n'avait rien à voir avec ce qu'il connaissait des grands blancs. Quelque chose ne tournait pas rond, mais il ne parvenait pas à comprendre les raisons de cette sombre impression. Il tenta de s'immiscer dans l'esprit de son allié pour sonder ses intentions, mais il se buta à un mur.

« Que se passe-t-il... », s'inquiéta-t-il.

Tout à coup, le roi comprit : ils avaient appelé un méga prédateur. Un animal dont les instincts seraient toujours plus forts que tout ce que les souverains de Lénacie pourraient vouloir lui transmettre. Un animal qui ne les écouterait peut-être pas ! L'idée qu'ils ne sauraient pas contrôler la bête lui traversa l'esprit.

Au loin, une ombre redoutable se profilait. Bien qu'elle fut impressionnante, ce n'était pas la taille de la silhouette qui inquiétait le roi, mais plutôt la rapidité avec laquelle elle approchait. La tête du requin allait d'un côté puis de l'autre, comme s'il reniflait une proie. La peur enveloppa Hosh, mais il tenta de la maîtriser pour ne pas la transmettre à la bête.

Plus le requin avançait, plus Hosh pouvait distinguer des détails de sa morphologie, notamment son gigantesque aileron dorsal.

« Si sa gueule est proportionnelle à cet aileron, pensa le roi, le carnage sera effrayant. »

Marguerite prit la main de son frère en regardant le sinistre prédateur prendre forme sous leurs yeux. Le requin devait faire près de vingt mètres et peser environ quatre-vingts tonnes. Beaucoup plus massif que celui d'un grand blanc, son corps était très musclé.

– Il faudra rester unis si nous voulons réussir à le diriger vers nos ennemis, dit Hosh à sa sœur. Totalement focalisés, peu importe ce qui se passe...

Le roi constata que la connexion avec le requin était bonne à nouveau.

Les Lacatariniens étaient trop occupés par le déploiement des Lénaciens, animés d'un regain d'énergie. Ils ne se préoccupèrent pas de la vibration menaçante qu'émettait le prédateur. Sans un bruit, le requin surgit derrière les troupes de Jessie, ouvrit grand la gueule et engloutit d'un seul coup une dizaine de frolacols.

Jamais Hosh n'aurait pu imaginer un pareil monstre. Nul doute qu'il s'agissait d'un véritable mégalodon. Le plus effrayant, chez cette bête préhistorique, c'était sa gueule. Ses dents avaient toutes entre quinze et vingt centimètres de long, soit presque la longueur de l'avant-bras du roi. Les dix frolacols que le requin venait d'engloutir n'étaient certainement qu'une entrée dans son menu du jour !

Un cri d'horreur jaillit des rangs lacatariniens. Hosh et sa jumelle se concentrèrent pour diriger le prédateur vers leurs ennemis. Excité par le goût du sang chaud et de la chair fraîche, le mégalodon avalait tout ce qui se trouvait sur son chemin, sans aucune distinction entre les animaux, les sirènes, les chars ou les armes.

C'était la débandade totale. Les Lacatariniens se sauvèrent en tout sens avec leurs chars, laissant ceux qui n'en possédaient pas à la merci de l'effrayant prédateur. Le peu d'alliés naturels qui restaient encore cessèrent d'écouter leurs maîtres qui, de toute façon, étaient bien plus occupés à sauver leur vie qu'à leur donner des directives. Retrouvant leurs instincts naturels, les poissons se sauvèrent aussi loin que possible de l'immense requin, les uns vers la surface, les autres vers les abysses.

Soudain, Marguerite et Hosh laissèrent échapper simultanément un cri de douleur intense. Le roi ressentait le mal de tête fulgurant de sa sœur. En voyant le sang se retirer du visage de sa jumelle et ses yeux fixes, le roi comprit qu'elle était sur le point de s'évanouir.

– Marguerite, ce n'est pas le moment !!! lui lança-t-il, paniqué. Je ne pourrai jamais contrôler le requin seul !

Hosh vit sa sœur faire un effort surhumain pour lever le bras et lui désigner un grand sirène aux cheveux rouges, qui se tenait sur la ligne de front du camp ennemi. Aussitôt, le roi se concentra de toutes ses forces et il intima au mégalodon l'ordre de bifurquer vers le chantevoix. Le monstre préhistorique ne fit qu'une bouchée du Lacatarinien, qui eut tout juste le temps d'ouvrir la bouche de surprise.

Le requin poursuivit ensuite sa route vers les derniers frolacols qui s'enfuyaient. Ces cannibales seraient enfin totalement anéantis. Plus jamais ils ne tueraient pour le plaisir.

Le roi s'aperçut que leurs ennemis prenaient la fuite. Après des chants et des chants de combat, de douleur et de morts, la guerre était sur le point de prendre fin.

L'attaque-surprise du mégalodon avait porté le coup de grâce à Jessie. La reine lacatarinienne avait pu prévoir bien des modes de défense, mais pas ce monstre.

« Sachant que nous contrôlons une telle machine à tuer, se dit Hosh, aucun de ses sujets n'acceptera de revenir nous combattre avant très très longtemps ! »

Un chant de victoire monta autour du roi. Celui-ci était soulagé d'avoir réussi à sauver son peuple, mais ses pensées allaient vers ces citoyens qui avaient trouvé la mort dans cet affrontement, provoqué par une reine avide de pouvoir. Son cœur se serra. Tant de familles seraient en deuil...

– Le mégalodon revient vers nous ! s'écria Marguerite.

Sa jumelle avait raison. Le roi sentit que la bête n'était pas rassasiée. En fait, son appétit avait été exacerbé par cette petite collation.

Tous deux tentèrent d'arrêter le tueur préhistorique, mais ils ne parvinrent qu'à le ralentir. Le requin n'avait plus l'intention qu'on lui dicte sa conduite, allié naturel ou pas. Il leur ferma les portes de son esprit. Celui qui les avait sauvés pouvait maintenant les anéantir !

– ENTREZ DANS LA CITÉ ! VITE !!! hurla Marguerite aux Lénaciens toujours sur le champ de bataille.

Dans le brouhaha général de la victoire, personne ne prêta attention à elle. Tous étaient occupés à se féliciter après ses longues heures de bataille. Hosh sentit une vague de panique envahir sa jumelle.

Dans quelques secondes, la bête serait sur eux.

– Majesté, j'ai senti que vous auriez besoin de mon aide, fit une voix derrière le roi.

En se retournant, Hosh eut l'heureuse surprise de voir Zaël. La réaction de stupeur des Lénaciens à proximité était éloquente. Un murmure d'étonnement se propagea. Tous connaissaient l'existence et le rôle des chantevoix, mais personne ou presque ne les avait vus de ses yeux.

– Plus que jamais, mon ami ! affirma le roi. Ton don nous serait fort utile en ce moment !

« Citoyens, écoutez-moi ! annonça par télépathie le sirène aux cheveux rouges. Je suis le chantevoix Zaël. Vous courez un grave danger ! Entrez immédiatement dans la cité. MAINTENANT ! »

Cette fois, le message porta et tous les Lénaciens se ruèrent vers la barrière de protection.

– Où est Damien ?! s'écria Marguerite. Je dois m'assurer qu'il est bien rentré sous le dôme.

La reine s'élança vers la cité à l'endroit où les deux époux avaient convenu de se retrouver s'ils étaient séparés pendant la bataille.

Le peuple était à l'abri depuis quelques secondes à peine quand un bruit assourdissant les fit sursauter. Hosh vit le dôme vaciller. Une onde de choc se répercuta sur toute sa surface à partir de l'endroit où le mégalodon venait de se frapper le rostre.

Puis, un deuxième impact se fit entendre une cinquantaine de mètres plus loin. Dans la cité, tous retenaient leur souffle. Au bout d'environ trois minutes, un troisième impact survint à l'extrémité sud, cette fois.

– Il cherche une faille ! déduisit Hosh.

– Et il va finir par la trouver ! lança Dave qui avait rejoint le roi en compagnie de Pascale et de Quillo. Le mur de protection n'a pas été conçu pour résister à de tels assauts ! Qui sait combien de temps il tiendra ?

– Peut-on tenter quelque chose avec le trident de Poséidon ? suggéra Pascale.

– Jexaed est mentalement épuisé, lui apprit Quillo. Il se repose au manoir des chantevoix et l'arme est avec lui.

Un autre coup du mégalodon fit vibrer la barrière de protection et les habitants laissèrent échapper un cri d'épouvante devant l'ombre du prédateur qui passa tout près.

Devant l'imminence du danger, le roi vit Anpaan nager difficilement vers lui. Blessé très sérieusement à la nageoire quelques chants plus tôt, son cousin avait le visage blanc comme l'écume et il semblait sur le point de perdre conscience.

– Que fais-tu en dehors du centre de soins ? questionna le roi en soutenant le sirène.

– Je dois sortir de la cité. Il y a une bête féroce à l'extérieur et je veux la voir.

Hosh observa Anpaan en silence, perplexe. La douleur le faisait-elle délirer ? Le roi savait que son cousin avait perdu beaucoup de sang et qu'il devait être très faible.

– Je ne crois pas que ce soit une bonne idée..., rétorqua-t-il.

– Hosh, tu ne comprends pas... C'est mon allié naturel qui est de l'autre côté !

– Moi aussi je pensais pouvoir le contrôler avec Marguerite, lui expliqua doucement le roi. Mais je t'assure que c'est impossible.

– Tu te trompes ! s'obstina Anpaan. Je n'ai jamais contrôlé les requins, moi ! Ce ne sont pas mes alliés naturels ! Mais ce prédateur-là... je suis certain que c'est le mien !

Et si son cousin disait vrai ? Après tout, Aïsha avait elle aussi un allié naturel peu commun et elle s'était liée d'amitié rapidement avec Neptus. Peut-être était-ce dans leurs gènes d'avoir des affinités avec les animaux préhistoriques...

– Advienne que pourra ! décida le roi en entraînant son cousin à l'extérieur du dôme.

- 17 -

L'œil de la mort

À peine un kilomètre plus loin, la reine venait de se jeter dans les bras de son époux, soulagée de le savoir sain et sauf. Lorsqu'elle vit Hosh et Anpaan traverser la barrière de protection, Marguerite n'hésita pas une seconde et elle s'élança à leur suite. Elle n'avait aucune idée de ce qu'ils fabriquaient, mais elle était convaincue d'une chose : « S'ils veulent essayer de contrôler ce monstre, ils auront besoin de moi ! »

Persuadée que son frère avait choisi un endroit stratégique pour sortir du dôme loin du mégalodon, elle nagea en ligne droite et passa la barrière sans se méfier davantage. Elle n'avait pas donné deux coups de queue que son sens de la vibration l'avertit d'un danger imminent, juste au-dessus de sa tête.

Elle leva les yeux, les doigts fermement serrés sur le manche de son trident. Le cœur de Marguerite manqua un battement. Le mégalodon se trouvait à cent mètres d'elle, la mâchoire ouverte, aussi grande qu'un autobus scolaire. Ses énormes dents pointues et ses gencives ensanglantées s'approchaient dangereusement. La reine aperçut même la moitié d'un char coincé dans la gueule du monstre préhistorique. Ses mains furent prises de tremblements incontrôlables et une certitude envahit son esprit : aucune fuite ne serait possible. Sa vie prenait fin ici et maintenant !

Elle pensa en rafales à Damien, à Hosh, à sa mère et à sa famille terrienne qu'elle ne reverrait jamais.

« Pourvu que ça se fasse rapidement et que je ne souffre pas trop ! » eut-elle le temps de souhaiter avec résignation.

Le sinistre claquement de mâchoire qu'elle entendit lui fit fermer les yeux. Mais... rien ne se produisit. Elle rouvrit lentement les paupières. Le mégalodon avait refermé sa mâchoire sans l'avaler. Il avait avancé de quelques coups de queue et son œil, aussi grand que la jeune femme, arrivait maintenant à sa hauteur. Marguerite y plongea son regard. La bête semblait la scruter de la tête à la queue, comme si elle voulait s'assurer que sa décision de ne pas la manger était bonne.

Puis le requin bifurqua vers la droite sans s'occuper davantage de la reine. Marguerite resta sur place, figée et incrédule. Le mégalodon se dirigeait vers Anpaan. Son cousin souriait, nullement intimidé par la taille de la bête et le danger qu'il courait.

Après avoir touché au requin, Anpaan lui pointa la direction du sud et le mégalodon repartit par là où il était arrivé. Hosh nagea ensuite vers sa jumelle. Encore en état de choc, Marguerite n'avait toujours pas bougé. Elle était vivante. Toute menace était enfin écartée. La reine laissa échapper un long soupir, sentant qu'un poids énorme venait de lui être enlevé.

La guerre était finie et son peuple était libre.

* *
*

La nouvelle du départ du mégalodon fit le tour de la cité à la vitesse d'un marlin. Les habitants pouvaient enfin filtrer l'eau sans crainte. On maintint toutefois une surveillance constante dans un rayon de trois kilomètres du dôme de protection, par peur d'une contre-attaque.

Au cours des jours qui suivirent, on soigna les blessés et on fit le décompte des morts. Le cœur de Marguerite se serrait à chaque nouveau compte rendu. Sa haine pour Jessie était à son apogée. Comment celle-ci avait-elle pu planifier la mort des sirènes qui l'avaient vue grandir ?

Une cérémonie d'abîme fut planifiée. Avec Céleste, Marguerite écrivit le discours qu'elle prononcerait pour les habitants de Lénacie décédés, mais également celui, plus personnalisé, pour sa grand-mère Aïsha.

La reine alla ensuite faire ses adieux à Pascal, qu'on transportait vers la surface. Son ami avait perdu la moitié de sa nageoire caudale et c'est sur son voilier qu'il souhaitait passer sa convalescence.

– J'ai besoin du soleil, lui confia-t-il. J'ai toujours l'impression d'avoir froid, depuis l'accident. Et puis les médecins veulent voir comment mon amputation va se traduire, lors de ma transformation en humain.

* *
*

Quatre jours après la fin de la guerre, une alarme sonna au centre de la sécurité. Deux dauphins de Lacatarina demandaient à traverser le mur de protection. L'envoi de l'allié naturel d'un des souverains était un signe indiscutable d'une demande de rencontre pour une négociation. Hosh donna aussitôt son accord et Marguerite accueillit les delphinidés en personne. Elle retira un rouleau d'algues de la gueule de l'un d'eux et l'ouvrit. À la vue de l'écriture de Mobile, elle tendit la missive à son frère, incapable de poursuivre sa lecture.

Les pensées se bousculaient dans sa tête. Pour envoyer cette lettre si peu de temps après la fin des hostilités, il fallait que Mobile soit physiquement près de Lénacie... Or, jusqu'à présent, elle avait attribué la responsabilité de la guerre uniquement à sa cousine. Se pouvait-il que Mobile soit lui aussi impliqué dans les événements des derniers jours ?

– Accepte, fit Marguerite sur un ton ferme sans même avoir pris connaissance de la teneur du message. Je pense qu'il est temps que nous nous parlions... J'ai besoin de réponses à mes questions et j'imagine que lui aussi.

* *
*

Hosh rédigea une réponse positive et Marguerite retourna les dauphins à leur propriétaire. Un chant plus tard, une délégation de cinq sirènes se présenta dans la grande salle du palais. Elle comptait le roi Mobile, Diou, maître Robin et deux conseillers. Aucun garde. Le silence qui régnait dans la grande salle était éloquent. Aucun des Lénaciens présents ne descendit d'un coup de queue en signe de révérence comme le voulait la coutume.

Lorsqu'elle vit le roi lacatarinien entrer dans la grande salle, le cœur de Marguerite fit un bond dans sa poitrine, puis... plus rien. Elle s'était vaguement attendue à un sentiment plus fort, en souvenir du passé et de ce premier amour d'adolescente. Du regret, aussi, peut-être. Mais elle s'aperçut que ses sentiments amoureux pour Mobile n'existaient plus. Les souvenirs étaient là, encore bien vivants... Cependant, ses rêves de jeune fille avaient cédé la place à ceux de la femme qu'elle était devenue. Son cœur appartenait désormais à Damien.

D'une voix forte, Hosh accueillit officiellement Mobile. Celui-ci était amaigri et il avait les yeux cernés. La vie ne semblait pas l'avoir choyé ces derniers mois. Malgré sa santé fragile, il se tenait bien droit et avait le regard décidé.

Sans attendre davantage, il prit la parole.

– Je suis venu concéder officiellement la victoire aux Lénaciens.

Marguerite ne savait pas trop quoi répondre. Elle décida donc de suivre les conseils de maître Robin, qui lui avait répété maintes et maintes fois de laisser l'autre dévoiler son jeu, plutôt que de prendre les devants. « Laisse-le parler », envoya-t-elle à son frère.

Le roi lacatarinien poursuivit :

– Je suis prêt à signer un traité de paix pour toute la durée de mon règne. Je m'engage à favoriser le commerce entre nos deux cités, à rétablir les faits concernant les fausses informations qui ont été véhiculées sur votre cité et vos citoyens, et je vous promets de m'assurer qu'aucun de mes citoyens d'origine lénacienne ne subira plus jamais une quelconque forme de racisme.

– Et pour Jessie ? demanda Hosh d'une voix dure. Sera-t-elle punie ?

– Je m'engage également à ce que mon épouse signe une reddition complète de ses droits. Mon armée s'occupera aussi de capturer et de tuer les frolacols qui ont survécu à la guerre.

– Quelle garantie aurons-nous que ces promesses seront respectées ?

– Je vous propose que maître Robin et la reine mère lénacienne veillent à la concrétisation et au bon fonctionnement de ces objectifs. Si je ne respecte pas ma parole, une partie du territoire lacatarinien sera concédée à Lénacie.

– Cette offre me semble juste, approuva Marguerite.

Pendant que le document officiel qui scellerait l'entente était rédigé, Mobile demanda une rencontre privée avec la reine.

* *
*

Marguerite tournait et retournait sans cesse une question dans sa tête en attendant l'arrivée de Mobile dans la salle aux dauphins : quel avait été son rôle dans toute cette histoire ?

Lorsque Mobile entra, aucun des deux sirènes ne prit spontanément la parole. Le roi semblait en proie aux remords. Au moment où Marguerite s'apprêtait à briser la glace, il lui prit la main.

– Je suis content de te revoir, Marguerite. Il y a longtemps que j'espérais cette rencontre. J'ai si souvent imaginé que tu venais me visiter à Lacatarina.

– Tu savais pourtant que cela m'était interdit...

– Oui, mais les rêves se moquent bien des conventions. Si tu savais le nombre de fois où j'ai regretté que le destin nous ait séparés en faisant de nous le roi et la reine de deux royaumes différents.

– Je dois savoir quel a été ton rôle dans cette guerre, demanda la reine de but en blanc en retirant sa main de celles de Mobile.

– Au début de notre mariage, j'ai trouvé en Jessie une alliée, dévouée au bien-être de mon royaume. Elle avait à cœur de connaître ses sujets et s'investissait avec sa mère dans toutes les sphères de la vie lacatarinienne. Tous sont tombés sous son charme... même moi, soupira-t-il. Cependant, Jessie et Alicia s'ennuyaient beaucoup de Lénacie et j'ai accepté qu'elles quittent Lacatarina pour se rendre ici à quelques reprises.

– Mais elles avaient été bannies et il leur était interdit de revenir ! rétorqua Marguerite.

– Je te ferais remarquer que ta mère et toi vous étiez bien gardées de m'en avertir. Ce n'est que dernièrement que j'ai appris le véritable but de leurs voyages et qu'elles se rendaient plutôt dans une fosse abyssale. Il y a trois ans, lorsque je suis tombé malade, Jessie me secondait si bien que je n'ai pas hésité à lui confier de plus en plus les rênes du pouvoir.

« Lorsque ma femme a constaté que j'étais à l'article de la mort, elle a choisi ce moment pour quitter Lacatarina et lancer ses troupes sur Lénacie. Maître Robin est arrivé peu de temps après et a exigé que je me fasse examiner par son guérisseur. Il a cuisiné lui-même tous mes repas et m'a veillé jour et nuit. Au bout d'une semaine, ma santé s'est améliorée et maître Robin m'a prouvé que j'avais été empoisonné par une algue toxique, intégrée à mon alimentation quotidienne par ma femme et par notre sirim. C'est d'ailleurs probablement ainsi que mon père, le roi Simon, est mort... »

– Je suis désolée, murmura Marguerite, compatissante. Nous aurions dû te prévenir, pour Jessie et Alicia, mais Mère voulait garder les manigances de ma tante secrètes pour le bien de notre royaume. Je pense aussi qu'elle souhaitait donner une seconde chance à sa nièce, qui n'était qu'une adolescente au moment des faits, dans l'espoir qu'elle choisisse une autre voie que celle de sa mère.

– Eh bien, elle n'a pas saisi cette chance et moi, je n'ai pas été à la hauteur de la tâche que m'avait confiée mon peuple. À cause de mon aveuglement, les Lacatariniens et les Lénaciens ont souffert. Je te demande pardon, Marguerite, de ne pas avoir été assez fort. J'aurais dû te choisir il y a neuf ans et refuser le trône de Lacatarina... Tout cela ne serait jamais arrivé.

Cette fois, c'est la reine qui prit les mains de Mobile.

– Ne dis pas cela. Je suis aussi responsable que toi de ce choix ! Tout comme moi, tu ne pouvais pas laisser ton royaume sans successeur. Tu es un bon roi, Mobile, le rassura-t-elle. Pour t'en convaincre, tu n'as qu'à regarder ta démarche d'aujourd'hui et le traité de paix que tu t'apprêtes à signer avec Lénacie. C'est moi qui te dois des excuses. J'aurais dû te prévenir de la nature profondément méchante de ma cousine. Je comprends seulement aujourd'hui que c'était utopique de penser que l'éloignement allait la changer.

Mobile hocha la tête.

– Es-tu heureuse, Marguerite ? s'enquit-il. Peut-être n'est-il pas trop tard pour...

– Oui, je le suis, le coupa-t-elle. J'ai rencontré un syrmain extraordinaire qui m'aime et que j'aime profondément.

Mobile tourna le dos à Marguerite pour éviter qu'elle voie sa peine, puis il lui affirma être très heureux pour elle. Mal à l'aise, la reine voulut changer de sujet et elle lui demanda ce qui attendait Jessie.

– Elle est déjà retenue prisonnière par mes gardes dans le camp qu'elle avait établi à quelques kilomètres d'ici. De retour à Lacatarina, ses crimes seront révélés à la population et elle sera mise à mort, comme le veut notre justice.

Marguerite n'était pas surprise. Elle avait appris à connaître les mœurs des sirènes. Une tentative de meurtre sur un souverain ne se pardonnait pas facilement et sa cousine était passible de la peine de mort. Si on ajoutait à cela la guerre provoquée sans raison valable et les centaines de vies gâchées, Jessie n'avait aucune chance de s'en sortir.

Mobile revint vers la reine et, cette fois, son regard était rempli de sincérité lorsqu'il lui dit :

– Je souhaite que ton bonheur perdure toute ta vie. Tu es une sirène formidable et tu mérites ce qu'il y a de mieux.

– Je souhaite de tout cœur que tu trouves un jour le tien, répondit Marguerite en le serrant dans ses bras.

La boucle était bouclée. Plus jamais Jessie ou Alicia ne causerait de tort à quiconque. Même si ce que Mobile avait vécu la rendait bien triste, cela lui permettait de se rendre compte de son propre bonheur, auprès de son époux, de sa famille et de son peuple.

Lorsqu'elle entra dans la grande salle pour procéder à la signature du traité de paix, son regard croisa celui de Damien. Même de loin, Marguerite pouvait lire l'incertitude qui rongeait son mari, impatient de savoir ce que Mobile lui voulait. Plutôt que de prendre place sur son trône, la reine s'approcha de lui, prit ses mains et, dans un murmure, lui rappela la promesse lénacienne que les époux s'échangeaient le jour de leur mariage : « Chaque jour, je te choisis ! »

- 18 -

Un plan audacieux

Hosh retira son visage du cadre de bois qui le maintenait immobile. Il était prêt pour la cérémonie d'abîme. Deux cent quatre adultes, dont soixante soldats, avaient perdu la vie. En se dirigeant vers la grande salle d'où partiraient les habitants du château pour se rendre à la fosse aux morts, le souverain essayait de puiser en lui la force de passer à travers cette cérémonie avec la dignité dont un roi devait faire preuve en toute occasion. Il craignait surtout de s'effondrer en larmes en faisant ses adieux à sa grand-mère... Le regard affectueux d'Aïsha lui manquait déjà tellement !

* *
*

Près de la falaise, les corps enroulés dans des feuilles d'algues avaient été déposés sur le sol. Le responsable de la cérémonie entama une longue plainte modulée et Hosh, la main de Pascale dans la sienne, joignit sa voix à celles de ses sujets. À la fin des chants, les aérodynamos furent mis en marche et ils produisirent un écran de bulles d'air, séparant les vivants des morts. L'ultime adieu, mais aussi le moment le plus pénible pour Hosh. Il fixa longuement le mur de bulles en demandant à sa grand-mère de veiller sur lui.

* *
*

La cérémonie venait à peine de se terminer qu'un groupe de syrmains entra dans la cité. À la suite de l'appel à l'aide lancé sur terre par Pascal avant qu'il ne quitte son voilier, un grand nombre de syrmains s'étaient mobilisés pour venir défendre leur cité natale.

Comme la bataille s'était terminée peu de temps après, leur présence n'avait plus été requise. Exceptionnellement, les chantevoix avaient donc réuni leurs énergies pour envoyer un message mental à tous les syrmains lénaciens résidant sur terre, pour leur annoncer que la guerre avait pris fin.

Plusieurs d'entre eux avaient tout de même tenu à rejoindre le royaume afin de rendre un dernier hommage aux êtres chers perdus et aider les survivants. Leur aide était surtout requise au centre de soins, complètement débordé, mais aussi à l'orphelinat, où arrivaient les siréneaux devenus orphelins.

Quand il vit Anpaan, Occare et Jexaed discuter avec le groupe de syrmains, les pensées du roi se tournèrent naturellement vers le trident de Poséidon. À sa connaissance, son cousin était le seul à savoir se servir de cette puissante arme, mais cela ne garantissait pas pour autant que d'autres n'essaieraient pas de la voler. La veille, Zhul lui avait appris qu'il entretenait des liens avec des soldats de différents royaumes. Or, ses amis lui avaient fait savoir que l'utilisation du trident avait été ressentie jusque chez eux. Des sirènes mal intentionnés se mettraient sûrement en route pour tenter de s'en emparer.

Hosh retourna dans ses appartements pour réfléchir à ce qu'il ferait de cette arme et comment, d'ici là, il assurerait la protection de Jexaed.

* *
*

– Je crois avoir trouvé la meilleure solution, affirma Hosh à sa sœur et à son cousin quelques jours plus tard.

Il leur dévoila les grandes lignes de son plan et Jexaed se montra enthousiaste. Quant à sa jumelle, elle cherchait d'autres options. L'idée de Hosh était bonne, certes, mais elle nécessitait l'implication de Marguerite...

– Peut-être pourrions-nous plutôt utiliser la même technique que la grande reine Éva et envoyer des sirènes en mission un peu partout afin de brouiller les pistes ? proposa-t-elle.

– Ça ne fonctionnerait pas, l'avertit Jexaed. Moi aussi, je connais l'histoire de cette reine et je dois admettre que sa tactique a bien fonctionné. Mais, cette fois, c'est différent. Le trident possède son propre rayonnement. Sa puissance peut être ressentie sur des milliers de kilomètres. N'importe quel maître tritonnien arrivera à suivre sa trace facilement.

– Pourtant, ce trident était à Lénacie dans le bureau même du roi et personne, à part Alicia, ne le savait, répliqua Marguerite, sceptique.

– Il y a très longtemps qu'il n'avait pas servi. Son rayonnement s'était résorbé, mais ce n'est plus le cas maintenant.

– Ce qui nous ramène à ma solution initiale, conclut Hosh. Envoyer le trident sur terre. La légende dit que le trident de Poséidon n'a aucun pouvoir en dehors de l'eau. S'il n'a aucun pouvoir, on peut penser que son aura y sera indétectable.

Marguerite en doutait.

« Pourquoi moi ? » intercepta Hosh dans la tête de sa sœur.

– Personne d'autre ne peut y aller, lui expliqua-t-il. Pour l'instant, tous les chercheurs de trésors des océans savent que le trident est à Lénacie et ils doivent déjà tenter par tous les moyens d'entrer dans la cité afin de le dérober. Dès que le trident sera sur terre, il ne sera plus détectable. Ils essaieront alors probablement de connaître l'identité du syrmain qui est allé l'y cacher pour lui faire avouer de force son emplacement.

– Ton statut de reine te protège, renchérit Jexaed. Tu peux t'enfermer dans tes appartements pendant deux semaines sans que personne soupçonne quoi que ce soit d'anormal. Il faudra simplement te trouver un bon alibi et mettre deux ou trois sirènes de confiance dans le secret pour alimenter le mensonge. Les souverains ne quittent leur royaume que dans des circonstances exceptionnelles, c'est bien connu. Les voleurs ne songeront pas que tu puisses aller sur la terre pendant ton règne.

– D'accord, mais tout devra être planifié dans les moindres détails ! exigea Marguerite, que la logique de l'argumentation avait convaincue. Je comprends qu'il est de mon devoir de sortir le trident de la cité pour le mettre en lieu sûr et je le ferai. Assurons-nous de ne rien laisser au hasard ! Je suis passée trop près de la mort dans les dernières semaines, je ne veux pas prendre de risques inutiles.

« Damien va m'arracher la nageoire caudale quand il apprendra que c'était mon idée ! » se dit le roi.

- 19 -

Héritage

Marguerite ajouta un huitième collier de perles dans son sac et le referma sous le regard angoissé de Damien. Elle ne lui avait rien caché de ce qu'elle s'apprêtait à faire parce que la confiance et l'honnêteté étaient à la base de leur couple. Cependant, son époux acceptait difficilement que la femme qu'il aimait se lance une nouvelle fois dans la gueule du requin.

La reine mit son sac sur son dos, puis elle s'approcha de son mari. Elle tendit la main et la glissa doucement le long de la joue droite de Damien.

– Souviens-toi que je t'aime du plus profond de mon cœur. Et n'oublie pas que tu dois absolument agir comme si tout était normal.

– Tu sais bien que tu peux compter sur moi.

– Tu es le meilleur mari qu'une sirène puisse avoir.

– Pourvu que cette sirène s'en souvienne, une fois là-haut, et qu'elle fasse tout pour revenir en un seul morceau...

Marguerite se força à sourire même si elle savait qu'elle ne pouvait rien lui promettre.

Dans un petit coffre à bijoux, elle prit une des clés permettant l'accès au passage secret souterrain. Celui-ci lui permettrait de sortir de la cité avec le trident de Poséidon sans être vue. À la surface, Pascal avait été prévenu de la venue de la reine grâce à un des poissons-robots de Dave. Il l'attendrait donc à la faveur de la nuit pour la cacher dans une cabine de son bateau.

Zhul écarta les algues de la porte et entra dans la chambre de la reine. Il transportait un étui de cuir dans lequel se trouvait le trident.

– Bien ! Vous avez réussi à sortir l'arme du manoir des chantevoix, constata la reine.

– Oui. J'ai suivi le plan à la lettre et j'ai assommé Jexaed pour faire croire qu'on l'avait attaqué. Il aura une belle grosse bosse sur la tête à son réveil... Quelle idée, aussi, de vouloir sortir l'arme du manoir pour que maître Robin puisse l'examiner ? N'importe qui pouvait la lui voler..., lança-t-il en faisant un clin d'œil à Marguerite.

– Et le centre de la sécurité ?

– Toutes les entrées et les sorties des sirènes seront effacées pendant un quart de chant. Ainsi, impossible de savoir combien de personnes auront traversé la barrière, ni leur provenance. Ces voleurs de trident sont vraiment forts et bien organisés ! lança Zhul à la blague. Vous devriez songer à les engager !

Marguerite sourit devant l'humour de son garde du corps. Zhul avait été mis dans le secret dès le départ. Cette histoire de vol était d'ailleurs son idée. Cela protégeait Jexaed qui, dès lors, pouvait dire qu'il était inconscient. Le cousin de la reine serait donc protégé d'un kidnapping qui aurait eu pour but de lui faire avouer l'identité du voleur.

Zhul servirait aussi d'alibi à Marguerite, car il monterait la garde devant sa chambre pendant son absence. Tout le monde savait que le garde du corps veillait sur la reine de façon assidue et autoritaire. Aussi la population serait-elle persuadée qu'il ne laisserait jamais sa souveraine quitter la cité et affronter les dangers de l'océan sans protection.

À ceux qui poseraient trop de questions, Hosh et Damien diraient que la jeune femme avait à nouveau des pertes de conscience et qu'elle se reposait. Louis était déjà prévenu et il participerait à la mise en scène en visitant la chambre vide de la reine chaque jour. Heureusement que Marguerite n'avait pas dévoilé à la population qu'un chantevoix ennemi était à l'origine de ses migraines.

– C'est l'heure, Majesté, annonça Zhul.

La reine se glissa hors de ses appartements et, accompagnée de Damien, elle prit le chemin des sous-sols du palais. Elle embrassa son époux juste avant que le mur du passage secret s'ouvre sur l'océan.

Dès que la cloison se fut refermée derrière elle, Neptus arriva. Il l'accompagnerait jusqu'à la surface. Le voyage se ferait donc à grande vitesse de façon à perdre le moins de temps possible.

Marguerite toucha du bout des doigts l'écaille qui pendait à son cou. Celle-ci lui permettrait d'appeler le dragon des mers en tout temps lorsqu'elle serait prête à revenir à Lénacie, peu importe dans quel port elle se trouverait sur terre.

* *
*

Deux chants plus tard, la coque du voilier de Pascal était en vue. Marguerite soupira de soulagement. « Enfin ! » Elle avait eu beau demander à Neptus d'accélérer à maintes reprises, le dragon des mers semblait décidé à savourer la balade. La jeune femme avait donc dû prendre son mal en patience et le voyage avait duré le double du temps prévu. Son ami s'ennuyait probablement d'Aïsha, lui aussi, et il semblait heureux d'avoir de la compagnie.

Lorsque Neptus et elle émergèrent, Marguerite siffla une seule note et, quelques secondes plus tard, le remonte-sirène descendait à bâbord.

– Merci, mon beau, murmura Marguerite en flattant la tête du dragon entre les deux yeux. Je te rappelle très bientôt.

Neptus eut alors un comportement étrange et inattendu. Il passa sa tête sous la queue de Marguerite et la souleva délicatement, de façon à ce qu'elle se retrouve assise au sommet de son crâne. Il la conduisit jusqu'au remonte-sirène pour qu'elle n'ait pas à nager les quelques mètres qui les séparaient du bateau.

Marguerite agrippa le cordage et elle saisit la main que Pascal lui tendait par-dessus le bastingage. Couchée sur le pont en attendant que ses jambes apparaissent, elle leva les yeux vers son ami et vit aussitôt sa jambe de métal. Elle éclata en sanglots.

– Chut ! lui intima le jeune homme pendant que Marguerite essayait de se calmer. Tu vas alarmer mon guetteur ! Tiens, enfile ça en attendant.

Marguerite enfila la robe trop grande pour elle que lui tendait Pascal, puis elle entreprit d'essuyer sa queue pour qu'elle sèche le plus rapidement possible. Chaque fois que son regard glissait sur la nouvelle jambe métallique de Pascal, des sanglots l'étreignaient.

– Marguerite, murmura-t-il, je t'en prie. Reprends-toi. Ce n'est pas aussi atroce que ça en a l'air. Je suis en vie, après tout !

Elle acceptait difficilement l'amputation de son ami.

Elle tenta de se mettre debout sur ses jambes chancelantes. Mal lui en prit ; elle s'effondra sur place. Cela faisait plus de neuf ans qu'elle n'avait pas eu à supporter son poids et à conserver son équilibre sur deux pieds.

Ils attendirent encore quelques instants et elle fit une seconde tentative. Quelle drôle de sensation d'avoir à nouveau deux jambes ! Marguerite parvint à faire cinq pas et elle s'accouda sur le garde-corps. Elle oublia alors l'urgence de la situation. Son attention fut détournée par des sensations qu'elle n'avait plus eues depuis longtemps : le vent qui caressait son visage ; ses poumons qui se remplissaient d'air ; le reflet de la lune sur l'eau ; la sensation du bois sous ses pieds.

« Voilà une première étape franchie..., pensa la jeune femme. Ne reste plus qu'à atteindre le port et à cacher le trident. »

* *
*

– Comment te sens-tu ? demanda Pascal à Marguerite au milieu de l'après-midi, le lendemain.

La jeune reine était étendue sur la couchette de son ami, malade comme elle ne l'avait jamais été en bateau. Pascal avait été forcé de simuler lui-même la nausée pour justifier les seaux qu'il sortait de sa cabine. Il fallait à tout prix dissimuler la présence de sa passagère clandestine.

– Je ne rirai plus jamais des gens qui ont le mal de mer ! dit Marguerite. Tu imagines à quel point mes sujets se moqueraient de moi s'ils me voyaient... La reine de Lénacie qui n'est même pas capable de supporter quelques vagues à la surface. Pfff !

Pascal sourit en lui remettant un linge humide sur le front.

– Je ne te cacherai pas que ton état lamentable m'inquiète. Tu n'auras pas la force de te rendre jusque sur la côte américaine en voilier. De plus, votre idée pour cacher le trident me semble douteuse... Je pense que nous allons devoir changer tes plans.

Le plan initial de la reine était de s'arrêter à Virginia Beach, aux États-Unis, de trouver un artisan qui pourrait recouvrir le légendaire trident de bronze et d'interchanger le vrai trident de Poséidon avec celui de la célèbre statue du même nom qui se trouvait près de la plage.

Lorsqu'ils avaient cherché où cacher l'arme, maître Robin leur avait rappelé que la plupart des gens ne voyaient pas ce qui se trouvait juste sous leur nez. Les souverains avaient alors eu cette idée.

– La statue est beaucoup trop imposante pour procéder discrètement à une substitution, émit Pascal. Si ma mémoire est bonne, elle mesure plus de dix mètres et pèse environ douze tonnes. Mais notre plus gros problème, c'est que, contrairement à ce que Jexaed et Hosh pensaient, l'aura du trident est détectable hors de l'eau... Certains de mes matelots l'ont sentie. Ils en parlaient entre eux ce matin. Heureusement pour nous, ils ne savent pas encore ce que c'est et ils pensent que ça provient de l'océan. Le trident est donc plus que jamais en danger et il faut faire vite.

Marguerite dut se résigner : leur plan ne tenait vraiment plus la route. Elle avait si peu de forces pour en trouver un autre...

– Changement de cap, décida Pascal en voyant l'air soucieux et le teint verdâtre de son amie. Je sais où aller et ce n'est pas très loin. Fais-moi confiance !

Pendant que le jeune capitaine prenait les choses en main, Marguerite concentra ses énergies pour envoyer mentalement un message à

Zaël, afin d'aviser son frère et ses amis que l'aura du trident était encore perceptible et qu'elle aurait besoin de leur aide à distance. Puis elle sombra dans un sommeil agité.

* *
*

Le bateau accosta à North Shore Village, sur une île des Bermudes. À la nuit tombée, lorsque tous les matelots furent sortis au port ou couchés, Pascal fit descendre Marguerite incognito sur le quai. Ils se rendirent ensuite dans un hôtel afin de pouvoir dormir un peu en attendant l'heure d'ouverture des commerces.

Au matin, la reine se sentait moins nauséeuse et elle voulut savoir ce que son ami avait en tête.

– Vas-tu enfin me dire quel est ton plan ?

– Te remettre ton héritage, répondit Pascal sur un ton énigmatique.

– Mon héritage ?

– Je ne suis pas le seul que Cap'tain Jeff avait adopté comme son propre enfant. J'ai aussi une sœur devenue souveraine, on dirait.

C'est fou comme je me découvre de la famille dans cet océan ! Avant de mourir, il m'a fait promettre de toujours te protéger et il m'a également ordonné de t'amener ici, si un jour tu sortais de l'océan. « Si cela se produit un jour, m'a-t-il dit, c'est parce qu'elle pataugera dans un pétrin quelconque. Peu importe le problème, la solution se trouvera dans un coffre à la banque. »

Les pensées de la reine furent envahies par des souvenirs du vieux loup de mer, qui occupait une place si spéciale dans son cœur. Les larmes se mirent à couler sur ses joues.

– Encore !? soupira Pascal. Quand tu n'es pas malade, tu pleures... Ouf ! Il va vraiment falloir que tu te reposes après tout ça, ma belle ! Cette guerre t'a vidée de toute ton énergie, on dirait !

* *
*

Pascal entra dans la chambre d'hôtel au moment où Marguerite terminait son dîner. Il était sorti depuis une heure pour trouver un étui plus adapté que la vieille couverture de laine du navire pour cacher le trident. Il avait finalement arrêté son choix sur un étui de contrebasse.

– C'est gros et encombrant, admit Pascal, mais les seules questions qu'on devrait me poser seront en lien avec mes capacités de musicien. Enfin... si on ne rencontre pas de syrmains.

Efficace, son ami avait profité de son escapade pour se procurer quelques accessoires qui permettraient à la reine de Lénacie de cacher son identité : une perruque rousse à mèches mauves, de grosses lunettes de soleil qui descendaient jusqu'au milieu des joues, un rouge à lèvres vif et une boucle à cheveux vert pomme.

« Ouais... On ne me reconnaîtra peut-être pas, mais je serai loin de passer inaperçue ! » estima Marguerite en se mettant du rouge sur les lèvres.

– Ça te va très bien, dit Pascal en retenant un éclat de rire. Personne n'ira imaginer que la reine de Lénacie se cache sous un tel déguisement !

* *
*

Arrivé devant la Bermuda Commercial Bank, Pascal tendit deux clés de coffrets de sécurité à Marguerite et il lui indiqua à quel comptoir se rendre.

– Tu devras me laisser le trident pendant ce temps.... Je vais t'attendre caché dans l'ombre de la boutique de souvenirs, là-bas.

Confiante, la reine lui remit l'étui et elle alla se présenter au comptoir. Là, elle tendit ses clés à la préposée. Celle-ci regarda les petits numéros qui y étaient gravés et elle sortit deux fiches que Marguerite dut signer. Sur les fiches de présence, Marguerite lut la signature de « James Jefferson » une quinzaine de fois. La dernière inscription remontait à trois ans. Dès qu'elle eut vérifié l'identité de Marguerite grâce à ses empreintes digitales, la proposée indiqua à la jeune femme de la suivre dans un couloir.

Au bout, elle ouvrit une grille puis fit entrer la jeune femme à l'intérieur d'un immense coffre-fort, dont la porte devait faire plus d'un mètre d'épaisseur. La préposée se rendit face à deux petites portes. Elle inséra ses propres clés dans la serrure pour que Marguerite puisse avoir accès aux coffres qui se trouvaient à l'intérieur. Elle ouvrit ensuite la porte d'une petite pièce adjacente, qui comprenait seulement une table, un téléphone et une chaise, et elle laissa Marguerite seule.

« Bon ! Que suis-je censée faire, maintenant ? » se questionna Marguerite.

Elle prit les deux coffres dans ses mains, les déposa sur la table et s'assit. Est-ce que le Cap'tain Jeff s'était assis ici, lui aussi ? Marguerite aima bien cette pensée. Elle inséra une des clés dans la serrure du premier coffre, tourna d'un quart de tour et l'ouvrit.

Ses yeux s'écarquillèrent devant les nombreuses liasses de billets de banque qu'il contenait. Elle savait depuis longtemps que les syrmains payaient comptant leur voyage sur le voilier du capitaine et que cet argent servait entre autres à faire les réparations nécessaires sur le bateau, à acheter des vivres et à payer les matelots. Mais il semblerait que Cap'tain Jeff en avait aussi mis de côté tout au long de sa vie...

Tremblante, la jeune femme inséra la seconde clé dans l'autre coffre et l'ouvrit. Seule une enveloppe jaune s'y trouvait. Marguerite la décacheta et en vida le contenu. Un téléphone cellulaire tomba sur la table ainsi que deux cartes professionnelles. Sur la première, Marguerite lut les noms de trois syrmains qu'elle connaissait, dont celui de Gab, et leur numéro de téléphone. Sur la deuxième, elle lut :

Matthew Watts,
passeport et pièces d'identité en cinq heures.

Le numéro de téléphone pour le joindre était également inscrit.

Marguerite comprit que, grâce à Cap'tain Jeff, elle avait entre les mains tout le nécessaire pour cacher le trident. Il ne restait plus qu'à prendre les bonnes décisions. Son regard bifurqua vers le téléphone. L'envie d'appeler ses parents était grande, mais arriveraient-ils à garder sa présence sur terre secrète ? Et si c'était une de ses sœurs qui répondaient ? Elle abandonna cette idée.

Gab fut son second choix. Elle composa le numéro.

L'appel dura dix minutes. Dès qu'elle raccrocha, elle savait ce qu'elle avait à faire. Elle ramassa la carte du faussaire et trois liasses de billets de banque. En échange, elle déposa dans le coffre quatre des colliers de perles qu'elle avait apportés, reprit les clés et sortit.

Elle rejoignit Pascal.

– Il ne me reste qu'un détail à régler, le renseigna Marguerite, et je peux le faire seule. Nos routes se séparent donc ici, pour cette fois. Je te remercie pour ton aide, grand frère !

* *
*

Six heures plus tard, la jeune femme était assise dans un taxi, nerveuse à l'idée de ce qui l'attendait. Faire fabriquer un faux passeport et deux fausses cartes d'identité – l'une américaine, et l'autre canadienne – n'était pas sans risques !

– Marie-Ange Jefferson, relut-elle sur les documents officiels.

Elle avait choisi d'instinct le nom de famille du vieux loup de mer. Elle sentait qu'elle était un peu la fille de Cap'tain Jeff, maintenant.

Après cinq minutes de route, le mal des transports la reprit.

« Je dois apprendre à me détendre », se sermonna-t-elle en luttant pour garder son déjeuner en place.

À ce moment, elle reçut une communication télépathique de Zaël :

« Nous croyons avoir trouvé comment neutraliser l'aura du trident. Maître Robin a étudié une panoplie d'anciens manuscrits et, selon lui, il suffirait de l'immerger dans de l'eau douce. »

Marguerite savait qu'il était inutile de songer à cacher le trident si n'importe quel syrmain pouvait détecter son aura. Elle regarda l'heure sur son téléphone cellulaire. Le vol qu'elle devait prendre décollait dans une heure et quinze minutes. Ça ne lui laissait qu'une trentaine de minutes pour agir.

« Ouf ! C'est très serré ! Me voilà plongée dans un vrai film *Mission impossible* », pensa la jeune femme.

Où trouverait-elle de l'eau douce ? Y avait-il un lac ou une rivière en plein centre de cette île des Bermudes ?

« Une piscine ! Voilà la solution ! Ouf ! Ce ne sera pas discret... », réfléchit-elle en demandant au chauffeur du taxi de s'arrêter devant le premier gros hôtel qu'il croiserait.

Avant de sortir, elle paya sa course au taxi en lui donnant une grosse avance pour qu'il l'attende. Elle se présenta à la réception et prit une chambre, qu'elle paya avec l'argent de Cap'tain Jeff. Dès qu'elle eut la clé électronique, elle suivit les indications vers la piscine. Là, elle laissa tomber son sac à dos au sol pour s'accroupir au bord du bassin et s'assurer qu'il n'était pas rempli d'eau salée. Puis, sans réfléchir, elle plongea tête première dans la piscine, tout habillée et l'étui de contrebasse dans les mains. Elle l'ouvrit pour s'assurer que l'arme soit entièrement en contact avec l'eau douce. Sous les regards étonnés des quelques personnes assises autour de la piscine, elle sortit de l'eau en cachant son visage derrière ses longs cheveux. Empruntant une serviette au passage, elle ramassa son sac à dos et se dirigea vers les vestiaires.

Elle retira ses vêtements mouillés, se sécha sommairement et sortit de son sac les vêtements de rechange achetés par son ami : une robe soleil rouge à pois blancs, une casquette de Mickey Mouse et des lunettes fumées en forme de marguerites.

« Très drôle, Pascal ! »

Elle sortit de l'hôtel en courant et s'engouffra dans le taxi.

– À l'aéroport, s'il vous plaît, lança-t-elle au chauffeur.

* *
*

– Mademoiselle ? Le pilote annonce que nous atterrirons dans quelques minutes. Avez-vous besoin de quelque chose ?

– Non, merci, répondit Marguerite, en émergeant d'un long sommeil.

Par le hublot, elle vit qu'ils survolaient des champs. Des champs ! Il y avait tant d'années qu'elle n'en avait pas vu. Elle regarda l'heure sur son cellulaire et s'aperçut qu'elle avait dormi cinq heures. Ce petit avion privé avait des sièges vraiment confortables !

« Finalement, je ne trouve plus ça dommage qu'ils n'acceptent pas les tridents dans l'habitacle des avions commerciaux ! » se dit-elle en souriant.

Refusant de laisser le trident dans une soute à bagages, Marguerite avait demandé à Gab de lui réserver un siège sur un vol privé. Bien entendu, elle n'avait pas parlé du trident à son ex-gardien au téléphone, de peur que quelqu'un capte leur conversation, mais elle devrait le faire prochainement.

L'avion amorça sa descente vers l'aéroport de Saint-Hubert, au Québec. Marguerite constata que c'était l'automne, sa saison préférée. Elle sourit.

La jeune femme descendit de l'avion et marcha jusqu'au hangar principal. Elle frissonna.

Il faisait plutôt froid, vêtue d'une robe soleil. Elle dut présenter son passeport à un agent et son cœur se mit à battre à tout rompre. Pourvu qu'il ne découvre pas que c'était un faux !

– Bienvenue au pays, madame Jefferson.

– Merci, répondit Marguerite en reprenant ses papiers.

À la sortie du hangar, elle vit Gab qui l'attendait avec un grand sourire et à ses côtés... ses parents ! La jeune femme figea sur place. Elle avait tant souhaité cette rencontre ! Elle se l'était interdite en raison du peu de temps dont elle disposait et, surtout, du caractère ultra-secret de sa mission. Elle éclata en sanglots au milieu de la place, immobile. Étrangement, elle avait l'impression d'être à nouveau une enfant qu'on avait abandonnée. Son père avança et la prit contre son cœur en lui flattant les cheveux, comme lorsqu'elle avait cinq ans.

* *
*

Assise dans l'avion à côté de Gab et devant ses parents, Marguerite attendait que l'appareil décolle. Dès que son ancien gardien avait été mis au courant de l'existence du trident, il avait fait quelques appels téléphoniques à des syrmains haut placés de sa connaissance. Il avait ainsi obtenu quatre places sur un vol privé en direction de Vancouver, en Colombie-Britannique. De là, les quatre complices se rendraient à Hatley Castel, un château qui appartenait à une famille dont les ancêtres étaient syrmains. Une des ailes de la magnifique demeure étant encore inhabitée, ils y passeraient la nuit. Une nuit au cours de laquelle ils feraient une visite nocturne jusqu'au grand jardin, où se trouvait une magnifique sculpture de Poséidon, moins imposante que celle de Virginia Beach.

Dès le lendemain, Gaston et Cynthia retourneraient au Québec, tandis que Gab et Marguerite reprendraient un avion commercial jusqu'aux Bermudes. Là, un bateau de croisière les attendrait. Marguerite sourit en entendant Gabriel énoncer point par point le projet qu'elle avait elle-même élaboré pour parvenir incognito jusqu'à Lénacie, lors de son troisième été de course à la couronne.

– J'ignore encore comment nous pourrons nous approcher de la cité en catimini, souleva Gab pendant que les roues de l'avion quittaient la piste de décollage.

– J'irai seule jusqu'à Lénacie, lui précisa Marguerite. Pour cette partie du voyage, tout est déjà planifié.

Dès qu'elle eut prononcé son dernier mot, l'habitacle tangua sous ses yeux et tout devint noir.

* *
*

– Marie-Ange Jefferson ? appela la réceptionniste du médecin.

Marguerite se leva et Cynthia lui emboîta le pas. Après la perte de conscience de Marguerite dans l'avion, sa mère adoptive l'avait convaincue de consulter un médecin à Vancouver avant de reprendre la route pour Lénacie. Le trident placé en sécurité, la jeune femme avait accepté, même si elle connaissait déjà le diagnostic : épuisement physique et mental dû à un surmenage. Dans les derniers mois, elle avait dû affronter une invasion de limaces, le kidnapping de sa mère biologique, une tentative de meurtre par ses citoyens, un combat mental avec un chantevoix malveillant, une guerre et un voyage inattendu à la surface... En plus de perdre des êtres chers et d'en voir d'autres se faire mutiler. Il était normal qu'elle ne soit pas au meilleur de sa forme !

Il fallut très peu de temps au médecin pour poser son diagnostic. Ce n'était vraiment pas ce à quoi la reine de Lénacie s'attendait. Étrangement, lorsque les paroles du médecin résonnèrent dans sa tête et que Cynthia éclata en sanglots, une seule pensée lui vint à l'esprit : « Neptus avait senti qu'une vie grandissait en moi ! »

Épilogue

Même si elle avait les traits tirés par la fatigue, la reine de Lénacie était resplendissante. Sa queue avait pris une teinte légèrement plus rosée depuis son accouchement. Océane et Delphine, ses jumelles syrmains, étaient bien emmaillotées dans la large bande de tissu qui ceinturait ses épaules, sa poitrine et sa taille. Les petites avaient maigri, ces derniers jours, et les écailles d'Océane, la filleule de Hosh, avaient commencé à tomber. Marguerite et Damien ne pouvaient plus attendre avant de se rendre à la surface.

Marguerite nageait vers Hosh et son épouse, Pascale. Une question la tourmentait depuis qu'elle avait fait son choix déchirant : si les rôles avaient été inversés, son jumeau aurait-il pris la même décision qu'elle ?

– L'heure des adieux est venue, murmura-t-elle à son frère dès qu'elle l'eut rejoint.

– Es-tu certaine que tout est prêt ? s'inquiéta Hosh.

– J'ai reçu la confirmation que Pascal nous attendait sur son voilier. Gab est arrivé dans la cité hier pour nous accompagner jusqu'au bateau. Mes parents adoptifs lui ont certifié qu'ils nous recevraient à bras ouverts. Cynthia est aux anges d'être deux fois grand-mère d'un coup !

– Promets-moi de revenir me voir dans trois ou quatre ans, lorsque tu pourras faire garder tes petites écrevisses pour quelques semaines !

– C'est promis ! Et toi, pendant ce temps, tu as intérêt à devenir le meilleur aquarinaire qu'ait connu cette cité !

– Ne t'inquiète pas, c'est comme si c'était fait, crâna Hosh.

– Tu crois que les petites pourront participer aux prochaines épreuves ?

– Des jumelles royales ET syrmains de surcroît, ça ne s'est jamais vu, mais les nouveaux souverains m'ont promis qu'ils feraient modifier la loi afin de s'assurer qu'il n'y ait aucun problème.

– Je suis certaine que nous avons pris la bonne décision en confiant la couronne à Dave et à Occare, décréta Marguerite.

– Une des meilleures décisions de tout notre règne, en effet ! admit son jumeau.

Marguerite serra son frère dans ses bras en prenant garde de ne pas écraser ses filles. Puis elle s'éloigna, main dans la main avec Damien.

Son cœur se serra à l'idée d'abandonner Hosh, mais, en voyant Pascale lui caresser tendrement la joue, elle sut que tout irait bien. Et puis, elle connaissait assez son jumeau pour savoir qu'il n'aurait pas le temps de s'ennuyer. Le nouveau projet de Dave et d'Occare, qui consistait à déménager la cité, occuperait une bonne partie de son temps, au cours des prochaines années.

Les humains étaient de plus en plus présents dans les océans et il fallait songer à l'avenir de Lénacie. Un déménagement était incontournable.

FIN

Les océans couvrent 70 % de
la superficie de la terre.

À ce jour, nous en avons
cartographié moins de 15 %.

Les humains découvrent de
nouvelles espèces vivantes
chaque année.

Les sous-marins de recherche
viennent à peine de commencer
à explorer les abysses, bien que
ceux-ci s'étendent sur plus de
50 % du plancher océanique...

Qui sait
ce que nous y trouverons ?

TABLEAU COMPARATIF DES CHANTS ET DES HEURES

- Premier chant de la nuit : 1 h
- Deuxième chant de la nuit : 3 h
- Troisième chant de la nuit : 5 h

- Premier chant du matin : 7 h
- Deuxième chant du matin : 9 h
- Troisième chant du matin : 11 h

- Premier chant de la mi-journée : 13 h
- Deuxième chant de la mi-journée : 15 h
- Troisième chant de la mi-journée : 17 h

- Premier chant du soir : 19 h
- Deuxième chant du soir : 21 h
- Troisième chant du soir : 23 h

LEXIQUE MARIN

Allégeance : Obligation d'obéissance et de fidélité à un souverain ou à une nation.

Anthrax : Maladie infectieuse causée par une bactérie susceptible d'attaquer autant l'animal que l'homme et pouvant provoquer la mort. Son mode de transmission la classe parmi les armes biologiques potentielles.

Cachalot : Grand mammifère cétacé carnivore. Le mâle peut atteindre plus de vingt mètres de long. Sa tête à elle seule représente près du tiers de la longueur de l'animal. Ce mammifère se nourrit en grande partie de calmars. Il peut plonger jusqu'à trois mille mètres de profondeur.

Calmar : Mollusque marin doté d'une tête et de huit bras fonctionnant par paires. Ceux-ci sont munis de ventouses ainsi que de deux longs tentacules.

Chauliodus : Un des plus féroces prédateurs qui vit en eau profonde dans les mers tropicales et tempérées. Il mesure entre trente et soixante centimètres de longueur et sa couleur varie entre le vert, l'argent et le noir. Il a de longues dents aiguisées sur sa mâchoire inférieure. Il attire ses proies avec un leurre lumineux situé à l'extrémité de son épine dorsale.

Cétacé : Mammifère marin : dauphin, baleine, cachalot...

Éponge de mer : Animal marin invertébré qui filtre en permanence de grandes quantités d'eau afin de pouvoir respirer et se nourrir.

Escargot turbo : Escargot en forme de cône reconnu pour son régime alimentaire à base de microalgues, ce qui en fait un excellent « laveur d'aquarium ».

Espadon : Grand poisson appelé couramment « poisson-épée » en raison de sa mâchoire supérieure qui se prolonge en forme de long dard.

Limace de mer : Sorte de limace sans coquille, aux couleurs éclatantes. Son corps est plutôt mou et elle vit sous l'eau. Peu de créatures marines se nourrissent des limaces de mer, car leurs couleurs vives préviennent les prédateurs qu'elles sont toxiques.

Lotus : Plante aquatique. Ses feuilles arrondies peuvent mesurer jusqu'à cinquante centimètres de diamètre. Elles sont flottantes, de formes planes et en coupole. Chaque plant ne produit qu'une grande fleur, blanche ou rosée, d'un diamètre de quinze à vingt-cinq centimètres.

Marlin : Grand poisson migrateur qui mesure jusqu'à quatre mètres et demi et atteint des vitesses de 100 km/h, ce qui en fait le poisson le plus rapide du monde.

Méduse : Animal marin composé de 97 % d'eau et de cellules qui produisent un liquide pouvant irriter la peau, parfois gravement.

Murène : Poisson carnivore, voisin de l'anguille, dont la peau est lisse et sans écailles. Son robuste corps est plat et sa morsure est dangereuse.

Nageoire caudale : Nageoire qui se situe à l'extrémité de la queue des poissons.

Nudibranche : Animal marin caractérisé par ses branchies ou ses papilles qui ne sont pas protégées par une coquille. La limace de mer appartient à l'ordre des nudibranches.

Ostréiculteur : Personne qui pratique l'élevage d'huîtres.

Poisson-chirurgien : Poisson dont la nageoire caudale se termine par deux longs piquants épineux et acérés, en forme de lances. Ces épines constituent une arme redoutable pour se défendre contre leurs adversaires. Frappant par coups de queue rapides, le poisson-chirurgien peut provoquer de graves blessures.

Poisson-clown : On compte vingt-neuf espèces de poissons-clowns. Leur taille adulte varie de six à quinze centimètres. La femelle est toujours la plus grande des deux. Aussi appelé « poisson anémone ».

Poisson-lune : Également appelé môle, il ressemble à une tête de poisson sans queue. Nageoires comprises, une môle peut être aussi haute que longue. On la trouve dans les eaux tropicales et tempérées tout autour du monde.

Poisson-pierre : Poisson qui mesure entre trente et quarante centimètres une fois adulte. Son corps globuleux est couvert d'excroissances cutanées et lui permet de se fondre aisément dans son environnement. Il est doté de treize courtes épines dorsales reliées à des glandes à venin, ce qui le rend extrêmement dangereux pour l'homme.

Raie torpille : Aussi appelée raie électrique. Elle a la capacité de produire de l'électricité comme moyen de défense ou de prédation.

Rascasse volante : Aussi appelé diable de mer, ce poisson possède des appendices au-dessus des yeux. Il capture ses proies par aspiration et on peut observer des épines venimeuses dans chaque rayon de ses nageoires dorsale, anale et pelvienne.

Rémora : Ce poisson est un très mauvais nageur. Il vit donc en symbiose avec d'autres poissons plus gros que lui, auxquels il s'accroche et qu'il débarrasse de leurs parasites en s'en nourrissant.

Rostre : Partie saillante et pointue qui se prolonge en avant de la tête de certains poissons et mammifères marins, comme le dauphin, le marlin, le poisson-scie et le requin.

Sabotage : Acte de vandalisme qui a pour but de briser ou de détruire intentionnellement un objet ou une installation.

Tortue luth : Il s'agit de la plus grande des espèces de tortues marines.

LEXIQUE LÉNACIEN

Aérodynamo : Machine servant à extraire l'oxygène présent dans l'eau de mer.

Allié naturel : Espèce marine avec laquelle un sirène a un lien particulier et avec laquelle il arrive à communiquer. Chaque sirène a un allié naturel qui lui est propre.

Assur : Hamac.

Awata : Minerai exploité depuis des siècles par les sirènes. Beaucoup plus précieux que les perles, il est également plus rare et plus difficile à obtenir.

Clipse : Plante cultivée par les sirènes.

Eska : Restaurant lénacien.

Fralgy : L'équivalent, pour les Lénaciens, d'une grippe humaine.

Frolacol : Sirène cannibale aveugle en absence de mouvements. Il a un dos voûté, un visage déformé et une queue grisâtre dont les écailles montent jusqu'à la poitrine. Les frolacols sont des descendants de sirènes qui ont été chassés du royaume des mers du Nord. Pour survivre, ils ont développé leur don de communication avec leur allié naturel, dont ils se servent pour arriver à leurs fins.

Java : Grand arbre sous-marin qui ressemble à un érable.

Kilta : Vêtement s'apparentant à un haut de bikini.

Lacatarina : Cité sous-marine des mers du Sud.

Lénacie : Cité sous-marine située dans l'océan Léna.

Logi : Région d'une centaine de kilomètres carrés à la frontière des territoires lénacien et lacatarinien.

Océan Ancia : Nom que donnent les sirènes à l'océan Pacifique.

Océan Léna : Nom que donnent les sirènes à l'océan Atlantique.

Pâté de clipsa : Pâté à base de racines de clipse. Faisant office de pain dans l'alimentation des sirènes, le pâté de clipsa fait partie de chaque repas.

Plioré : Arbre sous-marin qui ressemble au saule pleureur.

Requinoi : Poisson-messager né de manipulations génétiques des chercheurs lénaciens. Il est un croisement entre un poisson-pilote et un petit requin.

Sève de plioré fermentée : Boisson alcoolisée produite à partir de la sève de plioré.

Siréneau : Bébé sirène.

Sirim : Servante directement attachée au service de la reine.

Syrius : Langue commune à toutes les populations de sirènes.

Syrmain : Être qui a la capacité d'être un sirène en mer et un humain sur terre.

Trident : Arme extrêmement puissante commandée par la pensée. Elle a la forme d'un bâton surmonté de trois pointes.

Vélorine : Moyen de transport formé de la coquille d'un immense mollusque qui a été coupée en deux. Au fond de la coque, une ouverture rectangulaire est pratiquée, où se trouve la barre qui permet au conducteur de diriger l'engin en nageant.

Vodalum : Période de consultation s'adressant aux habitants d'âge majeur de Lénacie au terme de laquelle un vote démocratique détermine la position de la population sur une question d'intérêt public.

L'AUTEURE SE FERA UN PLAISIR DE RECEVOIR LES COMMENTAIRES DE SES LECTEURS ET LECTRICES AINSI QUE DE RÉPONDRE À LEURS QUESTIONS SUR LA FAN PAGE FACEBOOK DE LA SÉRIE : « ROYAUME DE LÉNACIE ».

POUR UNE CONFÉRENCE DE L'AUTEURE DANS VOTRE ÉCOLE, IL SUFFIT QU'UN(E) ENSEIGNANT(E) ÉCRIVE À L'ADRESSE :

royaumelenacie@gmail.com

DE LA MÊME AUTEURE

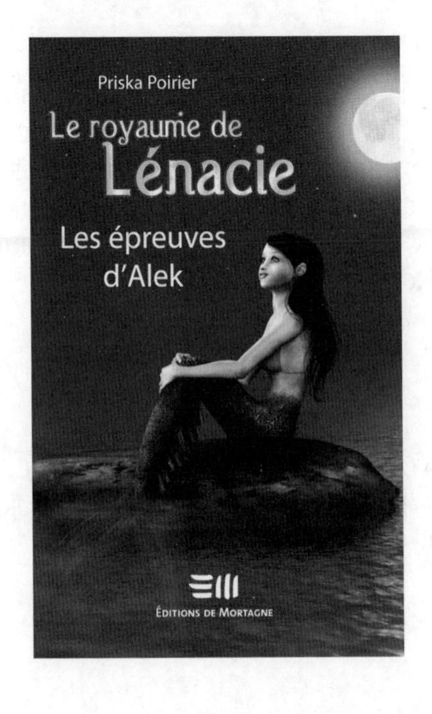

De la même auteure

DE LA MÊME AUTEURE

DE LA MÊME AUTEURE

Achevé d'imprimer
sur les presses de Imprimerie H.L.N.
Imprimé au Canada